Catalogage avant publication de Bibliothèque et Archives nationales du Québec et Bibliothèque et Archives Canada

Fisher, Marc, 1953-

L'apprenti-millionnaire : le testament d'un homme riche à son fils manqué

ISBN 978-2-89225-679-6

1. Succès — Aspect psychologique. 2. Bonheur. 3. Réalisation de soi. I. Titre.

BF637.S8F572 2009   158.1   C2009-940438-9

Adresse municipale :
Les éditions Un monde différent
3905, rue Isabelle, bureau 101
Brossard (Québec) Canada
J4Y 2R2
Tél. : 450 656-2660 ou 800 443-2582
Téléc. : 450 659-9328
Site Internet : www.unmondedifferent.com
Courriel : info@umd.ca

Adresse postale :
Les éditions Un monde différent
C.P. 51546
Succ. Galeries Taschereau
Greenfield Park (Québec)
J4V 3N8

Dépôts légaux : 1er trimestre 2009
Bibliothèque nationale du Québec
Bibliothèque nationale du Canada
Bibliothèque nationale de France

Conception graphique de la couverture :
OLIVIER LASSER

Photocomposition et mise en pages :
ANDRÉA JOSEPH [pagexpress@videotron.ca]

Typographie : Perpetua 14 sur 14,6 pts

ISBN 978-2-89225-679-6

Nous reconnaissons l'aide financière du gouvernement du Canada par l'entremise du Programme d'aide au développement de l'industrie de l'édition pour nos activités d'édition (PADIÉ).

Gouvernement du Québec — Programme de crédit d'impôt pour l'édition de livres — Gestion SODEC.

Gouvernement du Québec — Programme d'aide à l'édition de la SODEC.

Imprimé au Canada

Marc
FISHER

L'Apprenti Millionnaire

Le testament d'un homme riche à son fils manqué

UN MONDE DIFFÉRENT

À un homme que je connais peu,
qui me connaît encore moins, que j'aime et
qui m'aime encore plus : mon père,
bien entendu...

M.F.

Table des matières

1

Où la vie du héros bascule soudain...

Vous êtes-vous déjà senti perdu ?

Avez-vous déjà eu le sentiment, de plus en plus persistant, de plus en plus troublant, que vous viviez la vie d'un autre, d'un étranger que, le matin, vous ne reconnaissez plus dans la glace ?

Quelqu'un, en tout cas, qui ne vit pas la vie que, plus jeune, vous rêviez de vivre, quelqu'un que vous n'aimeriez probablement pas avoir comme ami – dans *Facebook* ou ailleurs...

Dans un cocktail, vous l'éviteriez par toutes sortes de manœuvres compliquées, ou, n'ayant pu lui échapper, vous lui diriez, au bout de trente secondes de pénible conversation : « Enchanté de vous avoir rencontré, je vous souhaite de passer une bonne soirée ! »

Pourtant, vue de l'extérieur, votre existence semble heureuse, sans problème. Votre sort paraît même enviable à certains de vos collègues, de vos amis, de vos clients : à tous ceux en somme qui ne vous connaissent pas vraiment, à qui vous vous contentez de répondre ce qu'on vous a toujours appris à répondre quand ils vous demandent comment vous allez : «Très bien! Et toi?»

Avec le temps, vous êtes passé maître dans l'art de donner le change à tout le monde...

Mais ça devient de plus en plus épuisant de faire semblant, ça vous mine...

Ça vous mine, et ça vous chagrine, et ça vous humilie d'autant plus, cette constante comédie, que vous avez toujours eu la réputation d'être fort et heureux, à l'épreuve de tout, un véritable roc sur lequel tout le monde pouvait venir se reposer : amis, enfants, parents, amants...

Mais le masque se fendille, votre joie de vivre est en vacances de vos yeux. Votre sourire ressemble de plus en plus à une grimace, surtout quand vous êtes seul et vous l'êtes de plus en plus souvent, de plus en plus complètement... Oui, seul, dans la foule, dans votre lit, même en « douce» compagnie, seul, de plus en plus souvent, dans le théâtre de votre ennui...

Si au moins vous pouviez mettre le doigt sur ce qui vous arrive, demander ses papiers à votre mal de vivre...

Peut-être avez-vous tout simplement besoin de changement, de quelqu'un d'autre dans votre lit, de nouveaux amis, de nouveaux pays... Vous partez sur un coup de tête en vacances, mais au retour, même si vous prétendez vous être amusé follement, rien n'a changé, vous êtes aussi déprimé et en plus vos vacances ne sont pas encore payées! À la fin, vous vous résignez, vous vous dites c'est peut-être ça, être un adulte, il faut oublier ses rêves, donner congé à sa folie!

Le destin de notre héros, Charles Rainier, ressemblait à ce portrait un peu triste et bien trop fréquent.

Grand, mince, avec des yeux bleus, des cheveux blonds, presque rasés à la militaire, et en tout cas à la mode du jour, il enseignait la philosophie dans une bonne université, était encore célibataire à trente-six ans, enfin c'est une manière de parler, car il vivait depuis trois ans avec Clara Rampling, une élégante dentiste de trente-quatre ans.

Pourquoi avait-il choisi l'enseignement de la philo?

Il aimait les idées, certes, les grands penseurs aussi.

Peut-être aussi avait-il voulu contrarier son père, ou en tout cas faire le contraire de lui, car Pierre Rainier était un homme pragmatique qui avait connu un succès retentissant dans les affaires et qui, à soixante-trois ans, était assis sur une fortune estimée à près de trois cents millions de dollars. Il y a plus riche, certes, beaucoup plus riche, mais aussi beaucoup plus pauvre, et comme Pierre Rainier était parti de rien, et que, en outre, il avait perdu son père fort jeune, avait été élevé par une mère admirable, certes, mais peu argentée, son ascension avait quelque chose d'exemplaire.

Charles Rainier avait-il vraiment voulu, contrairement à son frère et à sa sœur, qui tous deux travaillaient pour l'entreprise familiale, faire une sorte de pied de nez à son père? Pas vraiment, car son père avait d'abord étudié la philosophie avant de se tourner vers les affaires. De même que Platon recommandait, dans sa *République*, que les philosophes fussent rois et les rois philosophes, il avait, à ses débuts, la conviction que tout homme d'affaires digne de ce nom doit être avant tout un philosophe en ce qu'il doit comprendre les hommes et son époque pour réussir.

On avait ri de lui à ses débuts, un docteur en philosophie qui rêvait de monter une affaire, dans un domaine d'ailleurs bien éloigné des idées et des abstractions : l'immobilier, où les briques remplaçaient les livres, où les agents, les banquiers et les locataires remplaçaient les philosophes. Rien à voir avec la maïeutique de Socrate ou l'impératif catégorique de Kant!

Mais au bout de cinq ans, cet homme déterminé qui ne laissait personne indifférent et collectionnait ennemis farouches et amis dévoués, – succès féminins aussi malgré sa laideur légendaire – avait fait son premier million et ne s'était jamais arrêté, prouvant à tous qu'il avait eu raison : un des plus grands plaisirs de sa fructueuse carrière.

Avoir raison...

Gagner...

Jouer pour gagner, c'était d'ailleurs sa devise...

Et il avouait sans ambages ce que beaucoup d'hommes d'affaires pensaient – ou auraient dû penser ! – que c'était le profit qui comptait, que sans profit, il n'y avait pas de compagnie.

Sensé.

Charles Rainier, son fils, se trouvait en ce moment dans une réunion de département. Ces réunions lui pesaient. Depuis des mois. Il ne s'y sentait pas à sa place. Il se percevait comme un étranger.

Dans ses classes également.

Même s'il avait beaucoup de succès avec ses étudiants.

Avec ses étudiantes, aussi, ce qui parfois lui procurait une ivresse.

Depuis une demi-heure, Georges Damien, le chef de département, un homme de cinquante-cinq ans, au regard sévère derrière ses lunettes à grosse monture noire, saisissait les profs des différents problèmes du moment, écoutait leurs doléances. Le temps était venu de passer au vote au sujet d'une importante résolution.

« Que ceux qui sont pour lèvent la main ? »

Quatre professeurs s'exécutèrent.

Le chef du département fit le décompte, poursuivit :

« Ceux qui sont contre ? »

Quatre professeurs levèrent la main.

Seul Charles s'était abstenu.

« Charles ? » demanda le chef de département.

Charles sursauta quasiment comme si on venait de le réveiller ou en tout cas de le tirer de la plus profonde des rêveries. Ses collègues se tournèrent vers lui avec une sorte de désapprobation dans les yeux. Il avait beau avoir ses raisons pour se désintéresser de ces réunions, son indifférence ressemblait un peu à du mépris à leur égard, car des problèmes, tout le monde en avait, non ? Alors sa conduite n'était-elle pas inacceptable ?

« Oui, je...

– Tu votes pour ou contre ? Pour une fois, ton vote compte car nous avons une égalité... »

Une égalité qu'il ne parvint pas à rompre.

« Je... je ne... je suis vraiment désolé, je ne peux pas rester... »

Les larmes lui montaient aux yeux, il ne voulait pas pleurer en public, du moins pas devant ses collègues. Devant de parfaits étrangers, il s'en serait foutu, mais pas devant eux, il ne voulait pas leur accorder ce droit de regard sur son malheur...

Il alla se réfugier dans son bureau, où le chef de département vint le trouver aussitôt la réunion ajournée. Les murs du bureau étaient tapissés d'étagères encombrées de livres, de thèses d'étudiants, de débuts de romans, car il rêvait depuis des années de devenir écrivain. Il y avait aussi des photos ou des portraits de grands philosophes, de romanciers célèbres : Sartre, Goethe, Voltaire, Proust...

« Je... je suis vraiment désolé, Georges, je... je sais que ces réunions sont importantes mais je...

— Qu'est-ce qui ne va pas ?

— Tu veux la version longue ou abrégée ? »

C'était demandé sans animosité, sans ironie, avec simplement du désespoir. Georges se contenta de sourire.

« Clara m'a quitté.

— Ah ! je suis désolé mais… mais elle va revenir. Elle revient toujours, non ?

— Pas cette fois-ci. C'est du sérieux, là, je le sais. J'ai déjà eu ma dernière chance. Deux fois plutôt qu'une d'ailleurs.

— Mais pourquoi est-elle partie ? Est-ce que tu as des choses à te…

— Elle est partie parce qu'elle a raison et que moi j'ai tort. Ce n'est pas toujours comme ça entre un homme et une femme ?

— Non, sérieusement…

— Elle est partie parce qu'elle a trente-quatre ans, que nous sommes ensemble depuis trois ans, qu'elle veut se marier, avoir un enfant et comme je lui dis non, elle est persuadée que je ne l'aime pas vraiment, et que j'attends juste de rencontrer une autre femme pour la quitter ; et comme en plus elle est persuadée que je cherche une femme plus jeune et que toutes mes étudiantes le sont…

— Est-ce qu'elle a raison pour les étudiantes ?

— Elle a raison : elles sont plus jeunes qu'elle mais je m'en fous. En tout cas la plupart du temps.

— Tu me fais peur. L'as-tu…

— Non, jamais. J'ai eu des tentations, comme tout homme, sans doute mais rien, rien. J'aime Clara. Et encore plus depuis qu'elle m'a quitté, ça me frappe comme une évidence.

— Alors où est le problème ? Elle ne t'a pas quitté parce qu'elle ne t'aime plus, mais parce que tu ne lui donnais pas ce qu'elle voulait. Donc, elle t'aime encore. Tu crois que ça s'arrête comme ça, les grands sentiments, comme une voiture à un feu rouge ? Si tu l'aimes, tu vas lui donner ce qu'elle veut. D'ailleurs, qu'est-ce qu'il y a de si extraordinaire pour un homme de ton âge de se marier et d'avoir un enfant de la femme qu'il aime ? L'illusion de la liberté, est-ce que c'est si excitant ? Tu sais, moi, la liberté que ta génération vénère, ça ne m'a jamais tellement impressionné. Mon mariage dure depuis 25 ans, et je ne me suis jamais senti prisonnier. Ça a été pour moi comme les alexandrins pour Baudelaire : ça ne l'a jamais empêché d'écrire des chefs-d'œuvre alors que bien des pseudos-poètes modernes font des navets en vers libres...»

Charles n'eut pas le temps de commenter ces réflexions philosophiques, car à ce moment, son cellulaire sonna.

Georges esquissa un sourire de triomphe mais empreint d'une grande bonté.

«Qu'est-ce que je te disais ? La brouille est déjà terminée...»

Charles était si persuadé que le chef de département avait raison, il souhaitait tant que ce fût Clara qui lui téléphonât, que, sans vérifier le numéro sur son afficheur, sans attendre une seule parole de son interlocuteur, il dit, cria presque :

«Clara ?»

La vie a plusieurs manières de nous faire oublier, au moins provisoirement, un malheur.

La plus cruelle est de nous en infliger un plus grand encore.

Charles allait l'apprendre à ses dépens.

«Clara ? demanda-t-il à nouveau.

— Non, c'est Gisèle. J'ai une mauvaise nouvelle...»

Gisèle, c'était sa sœur. Elle se mit à pleurer, se reprit, termina enfin sa phrase.

Lorsque Charles raccrocha, non seulement avait-il l'air catastrophé mais il pleurait. Le chef de département s'approcha, demanda, follement inquiet :

« Qu'est-ce qu'il y a ? Il est arrivé quelque chose à Clara ?

— Non, c'est mon père... Il a fait une crise cardiaque...

— Et comment est-il ?

— Il est mort. »

2

Où le héros apprend une (autre) terrible nouvelle

Mon père est mort…

Ces quatre mots fort simples, on aurait dit que Charles était incapable de les comprendre, de les accepter et c'était peut-être pour cette raison qu'il les avait bien répétés une trentaine de fois dans sa tête, murmurés aussi, comme un poème qu'on veut apprendre par cœur, oui, une trentaine de fois, au bas mot, et sans doute plus, mais il en avait perdu le compte, depuis que sa sœur Gisèle lui avait appris la terrible nouvelle…

Mon père est mort…

Son père qui n'avait que soixante-trois ans, qui débordait d'énergie, de projets, qui semblait en plein forme et visiblement ne l'était pas puisque…

Voilà ce que Charles se répétait comme une litanie.

Soixante-trois ans seulement, comme c'était jeune, surtout pour un père… surtout à notre époque où les gens vivent facilement jusqu'à quatre-vingts ans, comme si, en somme, il était mort vingt ans avant son temps... À supposer que cette complainte eût un sens, car comment peut-on mourir avant « son » temps, à partir du moment où c'est vraiment le nôtre ?

Au chagrin de perdre son père s'en ajouta un autre peut-être plus terrible encore : à la lecture du testament, qui, pour se conformer à la volonté paternelle, eut lieu avant l'enterrement, Charles ne reçut pour tout héritage qu'un vieux costume, une paire de souliers aux semelles trouées, et une montre, « sa » montre, dont son père ne se séparait jamais, une très belle montre en or et qui valait sans doute quelques milliers de dollars puisqu'elle provenait de l'atelier d'un des plus célèbres horlogers suisses. Mais quand même !

Charles n'en revenait tout simplement pas !

Il avait de la peine bien sûr, une peine immense, mais il était aussi révolté, furieux, humilié. Oui, humilié, c'était peut-être le sentiment qui prévalait en son âme. Il crut tout d'abord à une plaisanterie de mauvais goût du notaire. Ou plutôt de son père (un notaire n'aurait jamais risqué pareil manquement au code de sa profession) qui, de son vivant, avait été le champion toutes catégories des plaisanteries et des farces parfois douteuses, en tout cas pour ceux qui en faisaient les frais.

Il eut un rire nerveux, puis comme le notaire, un homme grand et sec aux cheveux déjà rares à quarante ans, conservait son flegme le plus complet, – avec, il est vrai, une petite touche de commisération visible dans le plissement désolé de ses lèvres – il se leva, s'avança vers lui alors que Simon, son frère aîné et sa sœur Gisèle, les seuls autres présents pour la lecture du testament, demeuraient silencieux. Silencieux mais pas indifférents. Car Simon, l'aîné, un blond costaud au teint rougeaud, avait peine à cacher sa joie que son père eût déshérité son frère. Son frère qui avait toujours craché sur son père, sur lui aussi ;

son frère qui se prenait pour un intellectuel, qui avait toujours refusé de mettre l'épaule à la roue, pour aider son père, parce que l'immobilier c'était grossier, c'était vulgaire, c'était sale, c'était pour les ploucs, pour ceux qui n'étaient pas allés à l'université.

Comme lui ou sa sœur Gisèle !

Et voilà qu'il se scandalisait que son père ne lui laissât rien, pas un sou, pas une seule action de la compagnie, ni la princière résidence principale à Westmount, ni la luxueuse villa au lac Memphrémagog.

Rien, même pas un vulgaire petit million, de l'argent de poche pour son père, même pas cent mille dollars. Rien si ce n'est cet ironique costume tout élimé, ces vieux souliers et cette montre en or qui ne lui donnerait pas l'heure, mais lui rappellerait tout l'or qui venait de lui glisser entre les mains, et qu'il avait envie de lancer sur le mur du bureau de ce stupide notaire !

Oui, toute la rivalité entre les deux frères, latente depuis des années, explosait, nourrie par la cupidité la plus banale : car eut-il aimé son frère, ou disons-le l'eut-il détesté moins, que Simon se serait quand même réjoui secrètement de diviser l'héritage en deux au lieu de trois. Gisèle, elle, une mignonne blonde potelée, n'avait pas le cœur au triomphe, mais n'eut pas non plus l'idée de suggérer à son frère Simon de corriger ce qui semblait bien être une injustice : *après tout, pensa-t-elle commodément, il fallait respecter la volonté paternelle !*

Charles s'était levé, il arrachait des mains du notaire le testament, tentait de le lire en vitesse, comme un véritable fou, pendant que sa sœur baissait les yeux, désolée par ce drame familial supplémentaire, que son frère laissait échapper des soupirs moqueurs, que le notaire se contentait de dodeliner de la tête, constatant pour la millième fois de sa carrière les ravages que peuvent causer des testaments, même dans les meilleures familles, même dans les familles les plus unies.

Charles lisait comme un aliéné, et pourtant retrouva sans peine le bref, le si bref, le si terriblement bref et unique paragraphe qui le concernait : «*À mon fils Charles, je lègue le costume, la montre et les souliers que je portais lorsque j'ai gagné mon premier million.*»

Voilà, c'était tout, tout !

Charles se serait peut-être ému de cette délicate, de cette poétique, de cette symbolique attention de la part de son père de lui léguer ses fringues, ses godasses et la montre qu'il portait le jour où il était devenu millionnaire, mais seulement si ça avait été parmi d'autres dons, avec une part plus équitable de sa fortune, qui aurait dû être divisée en trois, non, puisqu'il avait trois enfants !!!

Alors, il pensa que son père avait peut-être modifié son testament à la suite de la violente discussion, pour ne pas dire la dispute qu'il avait eue avec lui un mois avant : son père lui avait reproché de perdre son temps, de gaspiller son talent à l'université. Lui l'avait envoyé promener, sans le moindre ménagement, croyant qu'il faisait une nouvelle tentative pour le faire réintégrer l'entreprise familiale... Il s'empressa de demander au notaire :

«Est-ce que mon père a changé son testament récemment ?

– Je... oui, effectivement il a été refait il y a un mois... votre père venait d'avoir, comme vous savez, une défaillance cardiaque...

– Hein ?»

C'était les trois enfants qui, en même temps, s'exclamaient, étonnés.

«Il a eu une défaillance ? demanda Simon.

— Vous ne le saviez pas, je croyais que…, s'étonna le notaire.

— Il a toujours été cachottier avec sa santé, observa Gisèle.

— En effet», approuva Simon.

Charles, lui, était horrifié par cette révélation qui confirmait ses doutes les plus épouvantables.

Quand on dit qu'on est responsable de son propre malheur, là, il en avait la confirmation la plus douloureuse possible.

Et pourtant, il lui fallait le vérifier. Aussi s'enquit-il auprès du notaire.

«Est-ce que mon père vous a demandé de faire, dans son dernier testament, des changements qui me concernaient?

— Écoutez, les testaments anciens demeurent toujours sous le sceau du secret professionnel entre le client et son notaire!»

Charles se leva d'un bond, agrippa le pauvre notaire par le collet, et vociféra:

«Je me fous du secret professionnel! Vous allez me dire tout de suite si mon père a changé des choses à mon endroit!»

Le notaire consulta du regard le frère et la sœur, comme pour demander leur autorisation, qui ne tarda pas à venir. Gisèle souleva les épaules en signe d'impuissance avec un sourire un peu triste sur les lèvres, tandis que Simon, qui se régalait visiblement, et arrondissait les yeux, avec un air de défi, si ce n'est de mépris, disait sans le dire: allez, dites-lui la vérité, on s'en moque maintenant, il n'a pas un sou de toute manière!

Avec un peu de réticence, le notaire fit un geste pour calmer Charles, et récupérer son collet, puis admit:

« Oui, il a changé des choses.

— Il me laissait combien dans le testament précédent ?

— Le tiers de sa fortune ! »

La vérité, la terrible vérité tombait !

Charles était responsable de…, comment dire, l'ingratitude paternelle !

C'était bête, trop bête, trop injuste aussi.

Il ne se sentait pas seulement floué, stupide, mais aussi terriblement, horriblement coupable.

Pas seulement d'avoir causé sa propre ruine, mais aussi de s'être disputé avec son père…

Quelle tristesse en effet !

Car il venait effectivement de penser que la dernière fois qu'il avait parlé à son père, il s'était engueulé avec lui, il lui avait dit des choses terribles, des choses qu'il n'aurait pas dû lui dire, qui dépassaient sa pensée comme on dit banalement, mais peut-être avait-il bu un peu trop, peut-être s'était-il disputé avec Clara, ou avec un collègue à l'université, qui sait ce qui ultimement nous conduit aux actes les pires, les plus regrettables de notre vie…

Il lui avait dit qu'il était le pire père qu'un fils pût souhaiter, il avait même poussé la folie jusqu'à lui dire, ce qui était faux, absolument faux, qu'il ne l'aimait pas, qu'il le détestait même, qu'il le trouvait minable malgré ses millions, juste un être banal et superficiel obsédé par l'argent…

Oui, il lui avait dit ces choses terribles, terribles, et maintenant il ne pourrait jamais plus lui parler, faire amende honorable, jamais plus lui dire qu'il ne pensait pas vraiment ce qu'il avait dit, qu'à la vérité il l'aimait, non seulement il l'aimait mais il l'admirait aussi, car il était parti de rien, de rien, avec comme seul exemple un père petit fonctionnaire qui était mort lui aussi d'une défaillance cardiaque, alors que Pierre Rainier avait seulement seize ans laissant à la famille une pension dérisoire et des dettes considérables.

Son père avait néanmoins réussi à payer lui-même ses études, et de surcroît à nourrir ses frères et sœurs plus jeunes.

Puis, il avait construit son empire à la force du poignet… Oui, le minable, le véritable minable, c'était lui, oui, lui, Charles, le pseudo-intellectuel qui végétait dans ce poste et qui avait renoncé à son rêve de devenir romancier…

Pourquoi ?

Il ne le savait même pas lui-même. Simplement les années avaient passé, il avait toujours trouvé une meilleure raison de ne pas s'y mettre vraiment, de faire autre chose : il avait des obligations, il est vrai (c'est ce qu'on dit toujours, non, pour justifier ses lâchetés ?) oui, des obligations, de minables obligations, ce petit appartement, cette mauvaise voiture, rien de bien excitant…

Mais trop tard, il était trop tard…

Mais comment aurait-il pu prévoir que son père mourrait si jeune et surtout de manière si brusque, si inattendue, sans crier gare… Et que son père, blessé par leur terrible et dernière conversation, le déshériterait dans un mouvement naturel de dépit, qu'il aurait sans doute pu corriger avec le temps, lorsqu'il lui aurait reparlé, se serait expliqué, lui aurait fait ses excuses…

Mon père est mort…

Mon père est mort et je ne pourrai jamais plus me réconcilier avec lui…

Voilà ce qu'il ne pouvait cesser de se répéter…

Il se leva, et sans saluer personne, la mort dans l'âme, c'est le cas de le dire, il se dirigea vers la porte.

«Vous ne prenez pas ce qui vous appartient?» demanda le notaire.

Charles ne répondit même pas.

«On se verra au salon...», se contenta-t-il de dire.

3

Où le héros fait la rencontre d'un mystérieux mendiant

À la porte du salon, le lendemain, se tenait un mendiant, qui tendait la main, sans grand succès, à tous les visiteurs. Lorsqu'il le vit, Charles, qui était dans un état second, qui était comme un véritable somnambule (mais il ne dormait pas, il… souffrait!), eut envie de faire ce que tous les visiteurs avant lui avaient fait, agacés de se faire solliciter en cet endroit si… comment dire? inapproprié : un salon funéraire ! Les mendiants avaient-ils si peu de bon sens, pour venir de manière éhontée relancer les gens en ce lieu si sacré !

La première chose que remarqua Charles, malgré son état de douloureux somnambulisme, ce fut la main tendue du mendiant, une très belle main, très blanche, très élégante et surtout très jeune, parfaitement propre et comme manucurée, contrairement aux mains souvent sales et gercées de la plupart des mendiants. On aurait dit la main d'un adolescent, et deux de ses doigts étaient bagués, et ce ne semblait pas être des bagues bon marché, de la pacotille…

Son premier mouvement fut de lever le bras en sa direction, comme on fait avec agacement, comme pour lui dire vous ne pouvez pas me foutre la paix, non ? Le mendiant ne s'en offusqua pas, il y était peut-être habitué, il se contenta d'incliner la tête en esquissant un sourire qui découvrait de fort belles dents, d'une blancheur parfaite à la vérité : autre anomalie pour ainsi dire...

Charles passa à côté de lui, gravit les trois marches qui conduisaient à la porte principale du salon funéraire puis tout à coup se ravisa. Comme par ironie, par dérision, par révolte contre son père, il se dit : « *Tiens, tant qu'à être sans le sou, je vais tout donner à ce mendiant !* » Il revint sur ses pas, prit son portefeuille, en tira tout ce qu'il avait et le donna au mendiant, qui parut étonné.

« Voilà, jeta-t-il comme pour lui-même, maintenant je n'ai plus rien ! »

Et il ne laissa même pas le temps au mendiant de le remercier. Il tourna les talons et s'engouffra dans le salon où il se plia à la désagréable fonction – surtout dans les circonstances – d'accepter les condoléances de tous ceux venus rendre un dernier hommage à son père. Son frère et sa sœur lui prêtaient main-forte, bien entendu, mais leur froideur lui fit comprendre qu'ils n'entendaient pas modifier les dernières volontés paternelles et que ce serait le *statu quo* : il resterait sans le sou !

Même fastidieuse, cette obligation l'édifia. Car au bas mot deux cents personnes défilèrent devant lui, sa sœur, son frère et ses différents oncles et tantes, sans oublier sa grand-mère Éléonore, oui, deux cents personnes !

Il y avait tellement de gens qui semblaient réellement affectés par la disparition inattendue de son père !

Des employés actuels et anciens, des associés, des clients, des amis d'enfance, des anciens camarades de classe, et même des visiteurs aussi improbables que ses locataires, une engeance en général peu émue par les malheurs petits ou grands de leur propriétaire.

Tant de monde, tant de monde, ça ne finissait plus, ça ne finissait plus...

Et plusieurs pleuraient, pleuraient, pleuraient, et serraient la main émue de Charles comme s'ils avaient pu serrer une dernière fois la main de son père plus que la sienne... Lui serraient la main et lui disaient entre deux sanglots, comme s'ils voulaient le remercier une dernière fois par fils interposé, comment son père avait changé leur vie, comment il les avait aidés, leur avait redonné espoir, leur avait donné une chance par son inhabituelle patience de propriétaire, les avait sauvés de la faillite, par un petit prêt inattendu, un appel décisif à un banquier, etc.

Il y avait aussi, pour la plupart effondrées devant le cercueil ouvert où reposait son père, des femmes, dont certaines étaient fort jeunes et fort jolies, des femmes qui avaient fait partie de sa vie – ou cru en faire partie – un temps, après la mort de sa mère et sans doute aussi avant, même si ce n'était pas une chose qu'un fils se réjouissait d'admettre, comme du reste les autres membres de la famille qui sourcillaient à la vue de ces femmes restées pour la plupart de parfaites inconnues.

Des inconnues, souvent l'une pour l'autre aussi, comme on pouvait en juger par les regards de rivalité ou d'étonnement qu'elles échangeaient parfois même brièvement pour ensuite se laisser gagner par la suprématie de leur chagrin, par la vanité de toute jalousie devant la mort.

Devant tant de témoignages de douleur, force était d'admettre, pour Charles, que son père avait été à sa manière un grand homme, en tout cas un être d'exception, et que si des centaines de gens l'avaient aimé, presque vénéré, ce n'était pas seulement parce qu'il était riche.

Mais cette constatation rendait encore plus lancinante, plus douloureuse la question qui le hantait depuis la veille : si son père était un si grand homme, s'il s'était montré si généreux avec autant d'étrangers, alors pourquoi l'avait-il si cruellement déshérité, lui, son propre fils – même à la suite d'une stupide dispute téléphonique ? Il aurait pu voir, dans sa si vaste intelligence des êtres, que son fils ne pensait pas ce qu'il avait dit, qu'il l'aimait, le révérait, même, et ce, même s'il ne le lui avait jamais dit, même s'il lui avait dit tout juste le contraire. Mais tous les enfants du monde, même devenus grands, font ça avec leurs parents, non ?

Alors pourquoi ?

La mort, qui nous fait perdre des êtres chers, nous en fait parfois retrouver d'autres.

Car Clara avait fait acte de présence au salon.

Clara…

La si belle, la si poétique Clara qui avait l'air de tout sauf d'une dentiste, si tant est qu'une dentiste dût se conformer à un type précis, et elle ne le fait que dans l'esprit des gens justement… conformistes !

N'empêche, ça surprenait toujours un peu lorsqu'elle avouait son métier, car elle avait plutôt une tête – et une silhouette – d'actrice, elle en avait du reste la présence : qualité suprême dans ce métier comme chacun sait, comme chacun sait qui veut gagner sa vie dans ce métier ! Très grande – un peu plus grande que Charles qui n'était pas petit – avec de longs cheveux bruns, bouclés, des yeux bruns aussi, pâles, et toujours emplis d'une joie de vivre (sauf peut-être depuis ces derniers temps pour des raisons aisées à deviner !) Nantie d'un petit nez mutin, légèrement retroussé, de lèvres charnues, elle était de l'avis de tous une belle femme, une femme à la vérité spectaculaire qui faisait tourner toutes les têtes...

Clara...

Tout le monde s'étonnait d'ailleurs des hésitations de Charles à officialiser sa relation avec elle, à l'épouser, ou à tout le moins à lui faire cet enfant qu'elle désirait depuis plus d'un an maintenant.

Clara...

Non seulement avait-elle fait acte de présence au salon funéraire, mais elle s'était montrée d'une tendresse parfaite avec Charles comme si elle n'était jamais partie, ne l'avait jamais quitté et elle l'épaulait dans cette terrible épreuve, sans même savoir à quel point elle l'était, car elle ignorait le désaveu de son père. La mort, il est vrai, rend bien dérisoires certaines petites querelles, et les amoureux redeviennent ce qu'ils sont sans le savoir : des âmes, des consciences qui cheminent ensemble et qui, devant un malheur très grand, la maladie, la mort, déposent les armes... jusqu'à ce que le grand oubli qui caractérise tant de vies reprenne sur eux leur empire, jusqu'à la prochaine dispute, jusqu'à ce que la vie reprenne son cours normal, comme on dit...

Mais pas encore pour notre héros, pas encore...

Notre héros qui continuait de serrer des mains, soutenu par Clara et aussi par la mère de son père, Éléonore, une vieille dame de quatre-vingt-cinq ans, qui ne semblait pas vraiment chagrinée, pas parce qu'elle n'aimait pas son fils, mais parce qu'elle souffrait depuis quelques années d'Alzheimer et qu'elle n'était pas dans une de ses bonnes journées. À la vérité, elle ne réalisait même pas ce qui se passait, ne comprenait pas que son fils était mort, et trouvait juste amusants et flatteurs les nombreux témoignages de sympathie qu'elle recevait aux côtés de son petit-fils Charles !

Il y avait aussi Eugène, son chauffeur de longue date, qui pleurait comme s'il avait été un membre de la famille, qui pleurait parce que, au fond, il était un membre de la famille, qui pleurait comme il aurait pleuré son propre père, et, à la vérité, depuis dix ans, il avait passé plus de temps avec lui que la plupart des fils avec leur père, d'où son attachement, d'où sa douleur, d'où son chagrin qui était contagieux car les larmes se donnent aisément la main en ce coin curieux de l'univers qu'on appelle la terre.

Vingt-deux heures sonnèrent, et les derniers visiteurs, déjà moins nombreux, quittèrent le salon. Le frère et la sœur de Charles ne daignèrent même pas lui dire bonsoir, et s'enfuirent comme des voleurs. N'était-ce pas ce qu'ils étaient bien involontairement?

«Tu viens, mon chéri?» demanda Clara.

Cette phrase, pourtant banale, et qu'il avait dû entendre des centaines de fois pendant leur vie commune, le toucha infiniment. C'était comme si rien n'avait changé entre eux, comme s'ils étaient encore un couple, un couple qui avait seulement eu une petite dispute, et s'était réconcilié, un vrai couple en somme. Ce sentiment si réconfortant fut d'ailleurs glorifié, si je puis dire, lorsque Charles répondit: «Non, je vais rester encore un peu...», et que Clara, fine mouche, qui lisait en lui comme une âme sœur lit en sa tendre moitié, et qui comprenait son besoin de solitude avec son père, ajouta:

«Je t'attends à la maison, ne rentre pas trop tard...»

Et elle lui donna un baiser sur les lèvres, en le regardant dans les yeux, ses yeux rougis par le chagrin, et aussi par l'alcool (au moins avait-il une bonne excuse en ces heures de tragédie!), un baiser qui faillit le faire chavirer: il y avait tant de douceur, tant de tendresse, tant de profondeur amoureuse dans ce simple baiser, ce baiser qui disait, je suis revenue, je t'aime comme avant. Du moins est-ce ce que son esprit troublé par le chagrin se plut commodément à y voir !

Enfin, Charles se retrouva seul, et son premier mouvement fut de faire ce qu'il brûlait de faire depuis le début des visites : aller se recueillir près du cercueil de son père. Il s'agenouilla sur le prie-Dieu et, instinctivement, peut-être parce que la mort, comme la maladie, exalte en nous la fibre métaphysique, il se signa, même s'il n'allait pour ainsi dire jamais à l'église.

Il regarda son père. Contrairement à ces visiteurs qu'il avait sottement entendu murmurer, ravis, qu'« ils » l'avaient bien arrangé, qu'« ils » l'avaient mis beau, il le trouva horrible. Enfin, horrible, le mot est peut-être un peu fort. Mais en tout cas méconnaissable sous cet épais masque de fond de teint, avec ses lèvres trop pincées, ses mains jointes sur sa poitrine en un geste de prière, lui qui ne priait jamais et se révoltait constamment contre l'hypocrisie ecclésiastique, la philosophie rétrograde de l'Église.

Il eut, comme on a tous, cette pensée du caractère inéluctable de la mort, se dit, comme on se dit souvent : *« C'est fini, fini, il ne reviendra plus jamais, jamais ! »*

Et alors, il se mit à pleurer à gros sanglots.

À telle enseigne qu'il n'entendit pas les pas derrière lui. C'était le gérant de l'établissement, un homme effacé, d'une quarantaine d'années, affligé d'une calvitie précoce. Il portait comme il se doit un complet et une cravate noirs.

« Monsieur, il est vingt-deux heures, le salon ferme…

– Hein, vingt-deux heures ? fit Charles qui sursauta comme un somnambule. Pouvez-vous me laisser quelques minutes encore ? »

Il avait dit ces mots de manière si pathétique, si… sincère, comme un enfant qui demande une faveur à sa mère, que le directeur ne put faire autrement que d'accéder à sa demande, mais précisa :

« Seulement cinq minutes…

— D'accord… »

Il était si enchanté qu'il fouilla mécaniquement dans sa poche pour donner un pourboire au directeur, mais il n'avait plus un sou, il avait tout donné au mendiant, à la porte du salon. Il esquissa un sourire un peu idiot, et le directeur, à peine déçu, se retira.

Charles se retrouva à nouveau seul avec son père.

Il toucha ses mains, ses mains qu'il avait toujours trouvées si belles, ses mains racées, musclées et nerveuses tout à la fois, des mains puissantes, qui étaient froides maintenant, qui étaient raides : des mains de mort. Il nota alors que son père ne portait pas sa montre, sa montre qu'il portait toujours, puis se rappela qu'il ne pouvait pas la porter… puisqu'il la lui avait donnée !

Il eut alors cette inspiration un peu curieuse de lui donner sa propre montre, comme pour être quitte avec lui, même si sa montre valait beaucoup moins cher.

Il achevait de nouer sa montre au poignet de son père, et il pleurait à nouveau, quand il entendit derrière lui des pas. Il pensa tout naturellement que c'était le directeur qui revenait pour lui dire que ses cinq minutes étaient écoulées. Il ne pouvait pas lui foutre la paix, à la fin ! Ne pouvait-il lui concéder quelques minutes supplémentaires alors que son père était mort pour l'éternité ?

Il se retourna dans un mouvement brusque, décidé à laisser sa mauvaise humeur (bien légitime) exploser. Mais ce n'était pas le directeur qui se tenait à quelques pas derrière lui.

C'était, contre toute attente, le mendiant pour qui il avait ironiquement vidé son portefeuille.

Immobile, à cinq pas de lui, il souriait sans rien dire, et n'avait nullement sur son visage un air mortuaire, si je puis dire, une expression de chagrin ou de sympathie.

Non, il souriait tout simplement comme s'il s'était trouvé dans une épicerie, dans un bal. Il est vrai que, de toute évidence, il ne connaissait pas le défunt ou sa famille, mais quand même, le respect le plus élémentaire de la mort, les circonstances dictaient de…

Charles nota ce sourire qu'il perçut comme le sourire d'un idiot.

«Oui, je… est-ce que je peux faire quelque chose pour vous?

— Je voulais juste vous dire merci… Vous êtes parti si vite tout à l'heure…

— Pas de problème», répliqua un peu sèchement Charles.

Et il crut que ce curieux mendiant repartirait aussitôt, mais non, il dit encore:

«Qu'est-ce que je peux faire pour vous remercier?

— Rien.

— Vous en êtes certain?

— Ce que je voudrais, personne ne peut me le donner, ni vous, ni le président des États-Unis, ni le pape, ni Dieu lui-même.

— Mais demandez toujours…

— Il s'est… Il s'est passé quelque chose de terrible dans ma vie. Mon père est…

— Il est mort, je sais…

— Oui, mais surtout, il m'a déshérité, et je ne comprends pas pourquoi. Bon, d'accord, nous avons eu une dispute juste avant, mais tout de même, c'est excessif comme punition…

Je n'ai pas été un fils parfait, je sais, mais je ne suis pas un criminel, un drogué, un raté, alors pourquoi me déshériter, c'est comme s'il me crachait au visage depuis sa tombe, comme si je n'étais pas son fils...

— Je comprends», se contenta de dire le mendiant.

Et il sembla à Charles que ce n'était pas que des paroles en l'air, ce qu'il disait, qu'il avait vraiment l'air de comprendre. Et le curieux personnage ajouta :

«Alors comment puis-je vous remercier de votre générosité ?

— Mais vous ne comprenez donc pas, jeta Charles avec animosité, ce que je voudrais c'est que mon père revienne, que je puisse lui parler, que je puisse avoir avec lui une dernière conversation, qu'on s'explique, qu'il me dise pourquoi il m'a fait ça ! Vous ne comprenez donc pas ? Je suis si triste, si triste, je ne peux même pas penser à cette horrible idée sans me mettre à pleurer...»

Et il se remit à pleurer en effet, et le mendiant s'approcha de lui et posa tendrement sa main sur son épaule, puis murmura à son oreille :

«Peut-être puis-je vous accorder cette faveur, peut-être...»

Charles releva la tête :

«Quelle faveur ? Mais vous êtes fou ou quoi ? Mon père est mort, mort, mort, et demain il sera six pieds sous terre...»

Et il prit la main du mendiant et l'ôta sans ménagement de son épaule. Le mendiant ne s'en offusqua pas, se recula seulement d'un pas. Il portait un chapeau noir à large bord, et pour la première fois, il releva la tête, si bien que Charles put mieux voir son visage, et surtout ses yeux. Il n'en avait jamais vu de pareils, à la vérité, c'étaient des yeux très bleus, très clairs, très lumineux, à la prunelle minuscule et perçante, ce qui leur conférait une sévérité vraiment troublante, comme si ce jeune homme pouvait sonder le tréfonds de votre âme, comme s'il savait tout de vous dès le premier coup d'œil et que vous ne pouviez rien lui cacher. Le mendiant dit alors à Charles :

« Vous ne croirez peut-être pas ce que je vais vous dire, ça vous semblera peut-être farfelu, mais laissez-moi quelques secondes pour vous le prouver... Malgré mon apparence jeune, je suis très âgé, beaucoup plus âgé que vous. Et mon rang dans la hiérarchie universelle me permettra peut-être de vous obtenir cette faveur.

— Quelle faveur ?

— De faire revenir votre père, mais avant, je dois demander des permissions... »

Il tira alors de sa poche une petite boule de verre noire, de la taille d'une pomme. Il se concentra quelques secondes sur elle, et ses yeux, déjà lumineux, se mirent à briller encore plus... Alors, un phénomène étrange se produisit, il y eut de l'activité dans la boule comme des nuages qui se formaient et se déformaient, et alors une silhouette apparue, et Charles, qui s'approchait, intrigué, eut l'impression qu'il connaissait cet homme, qui portait un costume noir, une cravate. Oui, il le reconnut enfin et une grande émotion monta en lui.

C'était son père, et s'il ne l'avait pas tout de suite reconnu, c'était que, curieusement, il était beaucoup plus jeune que lors de son décès. Oui, c'était son père alors qu'il avait son âge à lui, environ trente-cinq ans, qu'il n'était pas particulièrement beau, car il avait toujours été laid, mais qui avait pourtant cette beauté, cet éclat de la jeunesse. Et Charles, du reste, n'avait jamais trouvé laid son père, il n'avait jamais compris, et avait toujours souffert de la légende qui entourait sa laideur.

« Papa ! » s'exclama Charles éberlué.

Le mendiant regarda alors la boule avec attention. Une nouvelle silhouette y était apparue, près du père de Charles, c'était un homme visiblement plus âgé, de cinquante ans au moins, qui portait une longue robe monastique marron.

Le mendiant parla alors avec les deux hommes, ou peut-être avec un seul, Charles n'aurait su le dire, car il ne voyait pas les lèvres des personnages remuer dans la boule, et en outre le mendiant s'exprimait dans une langue qu'il ne connaissait pas du tout, une langue vraiment étrange, comme une langue fort ancienne, peut-être de l'araméen, peut-être une autre langue. Au bout d'un entretien qui dura moins de vingt secondes, le père de Charles disparut de la boule mystérieuse et Charles s'affola.

« Mais que se passe-t-il ? J'aurais aimé que mon père reste, pour que je puisse lui parler, pourquoi a-t-il disparu ? »

Le mendiant sourit, expliqua :

« Votre souhait se réalisera. Votre père reviendra pour trois jours.

— Trois jours ? fit Charles étonné par la précision du mendiant.

— Oui, trois jours.

— Mais je ne…

— Regardez là », dit le mendiant en désignant de son index bagué un des coins du salon.

Charles se tourna immédiatement, mais ne vit que l'amoncellement de fleurs qui était venu saluer le départ de son père bien-aimé.

« Mais je ne vois rien.

— Regardez comme il faut… »

Et il vit alors un minuscule point bleu (on aurait dit une perle), un point très brillant qui se mit alors à s'agrandir, et prit enfin une forme humaine : celle du père de Charles, à trente-cinq ans, avec sa tignasse abondante à l'époque et son sourire de jeune lion. Ne lui manquaient que ses lunettes à grosse monture, sa marque de commerce.

« Papa ! s'exclama Charles, tu es revenu… »

Et il courut vers lui pour l'embrasser !

4

Où le héros retrouve son père

Oui, il sauta dans les bras de son père, de son père qui lui ouvrait les bras pour l'accueillir, un magnifique sourire aux lèvres, plus radieux que dans la vraie vie, *so to speak* car à la vérité il était entré dans la Vraie Vie, la *vita nova*, que pourtant presque tout le monde redoute : c'est l'héritage incommode de l'ignorance…

Charles éprouva aussitôt un certain trouble. Il oubliait que son père était dans son corps spirituel et donc un peu comme un fantôme, seulement beaucoup plus lumineux, plus brillant, mieux défini qu'un fantôme, ou en tout cas de l'idée qu'on s'en fait habituellement.

Il ne pouvait le serrer comme de son vivant bien entendu. D'ailleurs, la pensée lui traversa l'esprit que, de son vivant, il y avait des années qu'il ne l'avait pas serré dans ses bras, il ne se souvenait même pas de la dernière fois à la vérité, et elle devait être bien lointaine, bien lointaine.

En faisant un petit effort, qui lui aurait été insupportable en ce moment, il se serait souvenu que la dernière fois, il avait six ans, il avait rapporté son premier bulletin de l'école et comme il était arrivé premier, son père, fier de lui, l'avait serré dans ses bras puis, égal à lui-même, lui avait donné un billet de dix dollars en lui disant qu'il doublerait la somme le mois suivant s'il arrivait à nouveau premier !

Chacun sa pédagogie et si celle-là n'avait pas fait de Charles un homme d'argent, elle en avait fait un homme d'études : docteur en philosophie !

Enfin, Charles, comprenant que, de toute manière, il ne pourrait étreindre vraiment son père, recula de quelques pas, considéra l'auteur de ses jours, les larmes aux yeux, dans un mélange d'incrédulité et de ravissement.

« Mais papa, je n'arrive pas à le croire... Tu es pourtant...

– Mort ?» devina son père, non sans difficulté, car son fils s'était tourné vers le cercueil ouvert où il reposait, immobile à tout jamais, froid, froid, froid, comme tous les morts le sont bien banalement, mais quand c'est votre père c'est autre chose, autre chose ; préparez-vous si vous en avez encore le temps et ne faites pas l'erreur de mon héros, si je peux me permettre ce conseil, car le miracle qui se produisait dans sa vie n'arrive pas tous les jours.

« Oui...

– C'est ce que la plupart des gens croient, jusqu'à ce qu'ils meurent », dit spirituellement son père.

Et il se tourna vers le mendiant qui acquiesça silencieusement en inclinant la tête.

Mais à ce moment, la surprise et la joie de ces retrouvailles inattendues s'étant légèrement dissipées, Charles se rappela sa colère toute fraîche.

« Tu sais que tu m'as beaucoup blessé, papa, beaucoup blessé. Pourquoi m'as-tu fait ça ?

– T'apparaître ?

— Non, tu sais bien ce que je veux dire… Me déshériter… À cause d'une stupide dispute que j'ai regrettée tout de suite dès que j'ai raccroché le téléphone…

— Mais parce que je t'aime, mon fils.

— Parce que tu m'aimes ? Tu te moques de moi ou quoi ?

— Non, je ne me moque pas de toi. Si j'ai laissé tout mon argent à ton frère et à ta sœur, c'est parce…

— Parce qu'ils ne t'ont pas tourné le dos, comme moi ! osa l'interrompre Charles, dans un mouvement de colère irrépressible, parce qu'ils ont accepté de s'occuper de la compagnie. Moi, au fond, tu me détestes, tu me détestes parce que j'ai voulu en faire à ma tête, enseigner la philosophie au lieu d'aller vers les affaires comme eux !

— Non, tu n'as rien compris, tu es de mes trois enfants celui que de loin j'aimais le plus. Je sais, ce n'est pas une chose qu'un parent devrait dire et encore moins faire, mais je te le dis, maintenant que je suis mort, ça n'a plus d'importance, comme bien des choses que je trouvais si importantes d'ailleurs, tu verras c'est une grande surprise que de mourir et plus agréable qu'on ne croit. En fait autant les gens pleurent notre mort, du moins dans le meilleur des cas, autant la mort nous procure un grand éclat de rire, *anyway* c'est un autre sujet, on y reviendra, on a trois jours, non ? Oui, vraiment, je t'aime, Charles. Quand je te regarde c'est moi que je vois, oui, moi, quand j'étais jeune, et que j'avais la vie devant moi, la vie… Comme j'ai tenu tête à mon père, tu m'as tenu tête, bravo, je n'ai jamais osé te le dire, car nous, les hommes, on a cette pudeur idiote, et elle est encore plus forte entre un père et un fils. »

Il marqua une pause et continua :

« Moi non plus je n'ai pas voulu écouter mon père, un petit fonctionnaire, je le dis sans méchanceté ni mépris, mais c'est bien ce qu'il était, je n'ai rien contre les métiers modestes et encore moins contre ceux qui les exercent; chacun vit les expériences qu'il doit vivre, apprend les leçons qu'il doit apprendre et remplit son rôle dans la société. Le seul reproche que je peux faire à ceux qui n'ont pas de grandes ambitions, c'est de ne pas tolérer ceux qui en ont. Que chacun vive sa vie, que chacun ait droit à ses rêves, même si ça veut dire, au bout du compte, se casser la gueule. Au moins, ils auront essayé, ils auront rêvé, ils auront vibré. Ils ne se seront pas hâtés de s'enterrer pour le reste de leur vie. Enfin, mon cher père que j'adorais, est parti trop tôt pour que nous nous disputions au sujet de ma carrière: j'avais seulement seize ans... Je sais toutefois une chose, je serais mort si j'avais dû passer ma vie à compter les jours avant l'heure de ma retraite. Et des fois je me dis que c'est peut-être ça qui l'a tué prématurément, parce que, quand elle était encore lucide, ta grand-mère m'a avoué qu'il n'aimait pas son métier, qu'il le faisait juste parce que c'était un homme de devoir, pour elle, pour nous aussi, les enfants. C'est admirable et triste en même temps...»

Pierre Rainier se tut, il se contentait de regarder son fils avec attendrissement. Il y avait dans ses yeux un amour incroyable. Il se remit bientôt à parler:

«Oui, j'ai toujours été fier de toi, sauf peut-être depuis un an...»

Éclair d'inquiétude dans les yeux de Charles.

Était-ce pour cette raison que son père l'avait déshérité, plus que pour la terrible dispute téléphonique?

«Depuis un an mais je..., balbutia le fils.

— Oui, depuis un an, car même si on ne se voyait pas souvent, j'ai noté que quelque chose avait changé en toi, quelque chose s'était brisé...»

Charles avait baissé les yeux, honteux.

Son père avait raison, quelque chose s'était brisé en lui, sa véritable ambition, son rêve de tout laisser tomber pour devenir un jour romancier.

Oui, son père avait vu juste, pas étonnant du reste, car c'était peut-être le plus fin, le plus subtil psychologue qu'il eût jamais connu, et ça expliquait peut-être son phénoménal succès en affaires, car les affaires, au fond, c'est d'abord de comprendre les besoins de ses contemporains et ensuite de les combler. Pour tromper son embarras, Charles fit la remarque suivante :

« Je veux bien admettre que tu m'aimes, papa, que tu ne m'en veux pas pour les choses stupides que je t'ai dites, mais quand même, ne rien me laisser c'est un peu difficile à avaler comme preuve d'amour, non ? En me déshéritant, c'est comme si tu me disais : "tu n'es pas mon fils, tu ne fais plus partie de la famille !"

— Je savais que je pourrais m'expliquer avec toi, que tu comprendrais.

— Tu le savais ? Là, quand même, ne charrie pas, papa ! »

Il se tourna vers le mendiant, qui écoutait sans rien dire la conversation entre les deux hommes.

« Si ce mendiant n'avait pas été là...

— Mais je savais qu'il serait là !

— Tu le savais ? Comment ?

— Quand j'ai eu ma défaillance cardiaque, il y a un mois, je suis allé faire un petit tour de l'autre côté, comme on dit, et là, en plus de prendre une décision capitale à ton sujet et au sujet de ton héritage, j'ai eu une conversation avec la personne que tu as vue à mes côtés dans la boule de verre de Niroda.

— Niroda ?

— Oui, le mendiant.

— Tu le connaissais ?

— Oui. »

Il se tourna vers le mendiant qui le confirma par un simple hochement de tête accompagné d'un sourire subtil.

« Mais si je n'avais pas donné d'argent à Nigola...

— Niroda ! » corrigea le mendiant, pas certain si Charles avait voulu l'insulter ou pas car il l'avait appelé d'une manière qui sonnait désagréablement comme : nigaud-là.

— Oui, Niroda, peu importe, je veux dire... s'il n'était pas venu me remercier et s'il ne s'était pas trouvé qu'il avait des pouvoirs spéciaux, s'il ne m'avait pas accordé cette faveur spéciale de te faire revenir, toute ma vie j'aurais dû vivre avec cette terrible question. Pourquoi ? Pourquoi mon père m'a-t-il fait ça, lui, si riche et pour qui quelques millions auraient été des miettes, et qui m'a juste donné ses fringues et une montre dont je...

— Tu ne la veux pas ?

— Je n'ai pas dit ça.

— Tu ne la portes pas ?

— Non...

— Pourtant, tu pourrais, tu ne portes pas ta montre...

— Non, elle est là... », dit Charles.

Et il montra sa montre au poignet de son père ou plutôt de la dépouille de son père car fort visiblement son père n'était pas dans ce cercueil mais en face de lui, lumineux, brillant, amusé, amusant, philosophe. En un mot comme en mille, il fallait bien l'admettre : vivant !

« De toute manière, reprit Charles, si Niroda ne m'avait pas accordé cette faveur que je ne comprends du reste pas... »

Le père sourit avec tendresse à son fils et expliqua :

« Cette faveur, ce n'est pas à toi qu'il l'a accordée, c'est à moi.

— À toi ? demanda Charles, ahuri.

— Oui, confirma Niroda, à votre père, qui l'a obtenue en raison de ses mérites, de tout le bien qu'il a fait dans sa vie, de tous les gens qu'il a aidés. »

Que le mendiant eût dit ça, Charles n'avait pas de difficulté à le croire, il en avait eu la preuve aussi étonnante que formelle au salon pendant toute la soirée, alors que proliféraient les témoignages de reconnaissance à l'endroit de son père.

Il éprouva une émotion, protesta pourtant :

« Et si Niroda n'avait pas été là et si je ne lui avais pas donné d'argent… »

Son père sourit :

« C'est moi qui lui ai demandé de venir. Et si je t'ai donné juste ma montre, mes vieux souliers et l'habit que je portais lorsque j'ai fait mon premier million, c'est parce que tu as plus de talent que ton frère et ta sœur.

— Parce que j'ai plus de talent ?

— Oui…

— Alors, tu aurais pu me confier des responsabilités dans la compagnie ?

— Tu n'en as jamais voulu de mon vivant, pourquoi en aurais-tu davantage voulu après ma mort ? Non, si je ne t'ai rien donné, c'est pour que tu réalises ton rêve, pour que tu ne te laisses pas mourir à petit feu dans un métier que tu détestes, pour que tu ne laisses pas moisir ton talent, car je sais que tu en as un et qu'il est immense car je te le dis, tu es comme moi, sauf que moi je me suis jeté à l'eau, mais ça s'apprend. Je suis d'ailleurs revenu ici trois jours pour te l'apprendre, oui, pour t'apprendre à te réaliser, et pour ça, il ne faut pas des millions, même que les millions peuvent justement faire le contraire, ils peuvent étouffer ça, car la nature humaine est ainsi faite : il faut être affamé pour donner sa pleine mesure, ventre plein n'a point de rage. Et il faut la rage de vaincre pour réussir, pour gagner, pour devenir le meilleur, le premier. Si je t'avais laissé de l'argent pour vivre le reste de tes jours sans souci, tu aurais enterré ton talent, tu aurais vécu une vie confortable sans doute, mais tu aurais été comme moi, là...

Il montra son corps dans ce cercueil :

« Un mort bien vêtu, bien " arrangé" comme j'ai entendu les visiteurs dirent tout à l'heure, mais un mort quand même. Est-ce ça que je souhaitais pour mon fils préféré, pour mon enfant le plus doué ? Est-ce ça que tu aurais souhaité pour ta vie ? Maintenant comprends-tu ma décision et es-tu heureux que je l'aie prise...

— C'est pour ça que tu as tout donné à mon frère et à ma sœur ? » s'étonna Charles pas encore convaincu, et qui pensait encore à tous ces millions qui lui avaient glissé sous le nez.

— Oui, car eux n'ont pas comme toi de qualités extraordinaires. Et en plus, ils n'ont pas étudié la philosophie comme toi et moi.

— Tu te paies ma tête ou quoi, papa ?

— Je n'ai jamais été plus sérieux... »

À ces mots, le mendiant dit :

« Je vais vous laisser, maintenant. On se revoit dans trois jours à vingt-deux heures du soir à l'Oratoire Saint-Joseph. Votre père repartira par le dôme de la cathédrale...

— Par le dôme de la cathédrale ? questionna Charles.

— Oui, expliqua un peu mystérieusement Niroda (mais au fond tout était mystérieux dans ce qu'il faisait et disait !), ce sera plus facile pour lui d'y passer et pour moi de l'envoyer, car ce dôme est le passage de bien des âmes. »

Et il joignit les deux mains devant lui, respectueusement, s'inclina pour saluer les deux hommes, puis tourna les talons et sortit du salon.

« Mais papa, tu sembles oublier une chose, toutes ces paroles sont bien belles, tu as une très haute estime de moi, mais si je ne réussis pas ? Je n'aurai ni le succès ni l'argent, je me retrouverai les mains vides.

– Si tu ne réussis pas ? Mais mon cher fils, ne dis jamais une chose aussi stupide et aussi dangereuse ! Bannis dès aujourd'hui ce genre de phrases de ton vocabulaire ! »

Et en dodelinant de la tête en signe d'incrédulité (il n'en revenait tout simplement pas !), il répéta comme pour lui-même, avec un plissement de lèvres : *« Si je ne réussis pas... »*

Puis il ajouta, cette fois à l'endroit de son fils :

« À ce que je peux voir, je n'aurai pas trop de nos trois jours ensemble pour faire ton éducation, mon cher fils ! Mais il est tard maintenant, revoyons-nous demain matin à sept heures à mon ancienne demeure à Westmount. Demande à Eugène de préparer la voiture, mais ne lui dis pas pourquoi. Et quant à toi, rentre chez toi, je crois qu'il y a une personne qui t'attend et que tu as hâte de voir toi aussi...

– Tu sais pour... pour Clara ? » demanda un peu honteusement Charles, qui, comme presque tout le monde, était honteux de s'être séparé, surtout qu'il avait été quitté.

Pierre Rainier se contenta de sourire, s'approcha de son fils et le tapota affectueusement sur la joue. On aurait dit qu'il avait acquis de la vigueur, de la densité, car sa petite tape était plus tangible, quasiment comme si elle provenait d'un vivant. Charles s'en étonna et surtout s'émut de cette marque d'affection de son père.

« Bon, je vais y aller maintenant...

– Mais où ? » demanda Charles.

Son père ne répondit pas, se contenta de sourire, et alors en un phénomène similaire, mais inverse à celui qui s'était produit lors de son apparition, il se mit à diminuer de taille...

« Mais papa, qu'est-ce qui t'arrive ! s'affola Charles.

— Ne t'en fais pas, fiston, je n'en mourrai pas ! » le rassura son père, non sans humour.

Et sa taille diminua encore, il devint comme un enfant, puis encore plus petit, vraiment minuscule mais toujours souriant, toujours ressemblant, et enfin il se résorba dans la petite perle bleue du début. Puis la perle tourna trois ou quatre fois autour de la tête de Charles, à grande vitesse, s'arrêta devant ses yeux, comme pour lui dire bonsoir, se remit en mouvement, et disparut dans les fleurs dont elle était sortie quelques minutes plus tôt.

Et Charles se sentit tout à coup rempli d'un grand amour, comme si la petite étoile bleue avait répandu en son âme toute l'affection de son père.

Lorsqu'il rentra à la maison, il trouva Clara devant le miroir de la salle de bain : elle se démaquillait, se préparait pour la nuit...

Ce qui voulait dire qu'elle resterait, qu'elle ne retournerait pas... il ne savait même pas où, et ça l'avait tué de ne pas savoir où elle était allée habiter, ça avait mis une plus grande distance entre eux, et en avait fait encore plus rapidement, encore plus douloureusement, des étrangers.

Lorsqu'elle le vit, elle lui sourit de son sourire magique et tendre, mais dans lequel pourtant il y avait une tristesse inhabituelle : était-ce en raison des événements, je veux dire de la mort de Pierre Rainier, pour qui elle avait toujours eu de l'affection car, homme à femmes, il l'avait toujours fait sentir très belle, très importante, femme, en un mot.

Puis tout de suite, elle nota une expression inaccoutumée chez Charles et s'en ouvrit :

«Tu as… tu as l'air drôle, chéri…»

Ce simple mot « chéri », qu'elle lui avait dit mille fois par le passé, et qui le laissait indifférent, qu'il n'entendait même plus, engourdi par la routine de leur vie à deux, combien il le toucha en cet instant, même si, s'avisa-t-il non sans lucidité, elle le disait peut-être par simple habitude ou par pitié, pour lui faire oublier un instant la réalité de leur rupture.

— Oui, dit-il avec excitation parce que tu ne me croiras pas, tu vas croire que je suis fou mais j'ai revu papa, je lui ai parlé !

— Oh ! mon pauvre chou, mais pourquoi dis-tu ça ? Tu te fais du mal pour rien, ton père, il est allongé dans son cercueil, tout le monde l'a vu…

— Moi aussi je l'ai vu, je sais qu'il est allongé dans son cercueil. Mais il m'est apparu, il est vivant, je veux dire, il n'est pas mort, il y avait un homme au salon funéraire, je ne sais pas si tu te souviens, un drôle de mendiant à la porte…

— Avec un grand chapeau ?

— Oui. Et bien il est comme un magicien ou un sorcier, c'est comme dans Macbeth… Il a fait apparaître le fantôme de mon père, je lui ai parlé, il est redevenu jeune, on dirait qu'il a trente-cinq ans, il se souvient de tout, il m'a expliqué pourquoi il m'avait déshérité…

— Il t'a déshérité ?

— Oui.

— Ah ! vraiment désolée, je…

— Mais ce n'est pas grave, je… enfin, j'étais déçu et furieux quand je l'ai appris chez le notaire, mais il m'a expliqué pourquoi. Et je vais le voir pendant trois jours.

— Pendant trois jours ? »

Et il parvint petit à petit à la convaincre qu'il n'était pas fou, que ce qui lui était arrivé était bien vrai...

Cette nuit-là, ils firent l'amour.

Lorsqu'il la vit se déshabiller devant lui, Charles éprouva une émotion encore plus grande que la première fois.

Comme elle était belle, comme elle était désirable !

Et comme fut troublante, parfaite, romantique leur étreinte !

Après la volupté, contre toute attente, Clara se mit à pleurer.

Charles l'imita, même s'il ne comprenait pas et il se mit à l'embrasser comme s'il cherchait à la consoler.

Ou peut-être à se consoler lui-même...

Car il devinait les pensées secrètes de Clara, qui s'en ouvrit d'ailleurs après ce moment de folle et merveilleuse tendresse désespérée qui dura bien dix minutes :

« Ça ne veut pas dire que je reviens, Charles... »

5

Crois que tu es grand

Le lendemain matin, après avoir embrassé non sans déchirement Clara qui repartait, comme elle l'avait annoncé la veille, Charles, la mort dans l'âme, mais aussi avec un certain espoir, partit vers Westmount, où il arriva avec un peu de retard, car il y avait beaucoup de trafic.

C'est la gouvernante qui lui ouvrit, une quinquagénaire d'origine hispanique à la taille forte. Aucune disposition n'avait été encore prise en ce qui avait trait à son sort comme à celui du reste du personnel.

«Ah! monsieur Charles, je suis bien désolée de ce qui est arrivé à votre père...

— Je vous remercie... Je vais l'attendre...»

Il s'interrompit. Ce serait trop long et trop compliqué de lui expliquer la raison de sa visite. La gouvernante, sourcillait d'ailleurs, pas sûre d'avoir compris.

«J'ai... je... est-ce qu'Eugène est là?

— Mais oui, monsieur Charles.

— Pouvez-vous lui demander de venir me voir?

— Oui. Et avez-vous besoin d'autre chose?

— Du café.

— Sans problème, monsieur Charles.»

Quelques secondes plus tard, Eugène arrivait, un homme de quarante-cinq, usé prématurément, mais toujours avenant, qui avait six enfants, avait fait trente-six métiers avant de devenir, dix ans plus tôt, chauffeur de Pierre Rainier.

Conformément aux instructions paternelles, Charles lui demanda de préparer la limousine.

Quand Eugène se retira, Charles regarda l'heure sur la magnifique horloge grand-père du living. Il était déjà passé sept heures, sept heures dix en fait.

Il s'inquiéta.

Comment se faisait-il que son père, un homme toujours si ponctuel dans la vie, n'était pas encore arrivé ?

Il ne pouvait avoir pour excuse le trafic comme lui…

Alors peut-être…

Mais oui – c'était horrible – son visage se décomposa alors… Peut-être, dans sa douleur, Charles avait-il halluciné, la veille, comme Clara l'avait pensé, même si à la fin elle avait fini par dire, sans doute pour ne pas le contrarier, pour lui faire plaisir, qu'elle le croyait, et tout et tout…

Oui, peut-être avait-il tout inventé, tout rêvé, dans sa douleur, dans son désespoir de revoir son père, de comprendre pourquoi il l'avait si cruellement déshérité…

Ou peut-être son père était-il revenu, oui, pour quelques minutes, comme par miracle…

Tiens, il se rappelait tout à coup, c'était arrivé à son comptable. Le soir de la mort de son père, ce dernier lui était effectivement apparu, dans sa chambre à coucher, radieux et beau. Son comptable, spontanément, avait sauté de son lit, éberlué, était allé vers lui, avait voulu l'embrasser, mais son père, d'un geste impérieux de la main, l'en avait dissuadé. Et il lui avait alors simplement dit quelques mots, qu'il n'avait jamais oubliés, qu'il garderait toute sa vie dans son cœur : qu'il ne devait pas pleurer sa mort, qu'il allait bien, qu'en fait, il n'avait jamais été aussi bien, qu'il l'aimait et qu'il partait vers un autre univers, où une tâche magnifique l'attendait ; qu'il l'aimait et que tout irait bien dans sa vie, qu'il l'aimait et qu'il le protégerait toujours...

C'était peut-être ça qui lui était arrivé...

Cette pensée l'assomma.

Comme c'était déprimant !

La gouvernante d'ailleurs se rendit compte immédiatement de l'assombrissement de son humeur quand elle arriva vers sept heures quinze avec, sur un luxueux plateau d'argent nappé de blanc, un pot de café fumant, de la crème, un sucrier et une tasse...

Sept heures quinze !

Comme les minutes passent vite, désespérément vite, quand on attend quelqu'un – ou ne l'attend plus parce qu'on sait qu'il ne viendra plus !

«Vous allez bien, monsieur Charles ?

– Oui, oui, je...»

Il fit un sourire de circonstance, puis comme s'il voulait défier le destin, comme s'il voulait dire : je n'ai pas rêvé, je ne suis pas fou, mon père va venir, car il ne manque jamais à sa parole, il demanda :

« Pouvez-vous apporter une autre tasse ?»

La gouvernante regarda dans la pièce, – c'était le somptueux salon, dont l'ornement principal était une immense cheminée de pierres – ne vit personne et à nouveau sourcilla.

Mais peut-être monsieur Charles attendait-il un invité – ou Clara.

« Pas de problème...»

Elle s'éclipsa, haussant tout de même les épaules, comme si elle soupçonnait le fils chagriné de quelque caprice insensé.

Charles se versa une tasse de café, le huma, ravi. La gouvernante avait peut-être des défauts, mais elle savait préparer un bon café.

Charles approchait ses lèvres frémissantes de la tasse fumante lorsqu'il entendit derrière lui :

« Et moi ? »

Il sursauta, faillit renverser sa tasse, et, se retournant, aperçut son père souriant, magnifique, peut-être encore plus beau que la veille.

Son père avait toujours été amateur de café. Faut croire que sa mort ne l'avait pas changé à ce chapitre.

« Oh ! tu m'as fait peur, papa... mais je suis content, je croyais que tu... »

Il n'eut pas le temps d'achever, son père avait sans doute deviné sa pensée, s'expliquait :

« Excuse mon retard, mais là-haut ils nous tiennent plutôt occupés et puis le temps ne s'écoule pas exactement de la même manière, mais à un moment peut-être parce que tu pensais très fort à moi et aussi, je l'avoue, parce que, curieusement, je me suis mis à respirer une merveilleuse odeur de café, je me suis souvenu de notre rendez-vous et me voici... »

Charles ne dit rien, se contenta de sourire, il était épaté de le voir.

Pas la gouvernante, elle, qui, revenant alors au salon avec la tasse que lui avait demandée Charles, poussa un grand cri de stupeur avant de s'évanouir.

Mais heureusement pour elle, avec une vitesse prodigieuse, Pierre Rainier – ou son fantôme – se retrouvait à ses côtés, la soutenait pour amortir sa chute et surtout attrapait la tasse avant qu'elle ne se fracasse sur le plancher de marbre qu'aucun tapis ne recouvrait en cet endroit.

Émerveillé par la présence d'esprit et la célérité paternelles, Charles s'avançait, mais son père l'en dissuadait d'un geste de la main, disait, regardant la gouvernante : « Ça va aller ». Puis, tasse en main, se précipitait littéralement vers la table, se versait du café, prenait ou plutôt tentait de prendre une gorgée, mais le café se retrouva sur le tapis à ses pieds, ayant passé au travers de son corps et de ses vêtements de lumière !

« Merde ! fit-il, extrêmement déçu, et constatant le dégât à ses pieds. En plus, ça n'a pas valu la peine, je n'ai rien goûté. »

Charles souriait, amusé par l'incident, mais triste aussi pour son père, amateur de café déçu à tout jamais.

« En plus, déplora Pierre Rainier, en posant la tasse de café, il n'y a pas de café au ciel ! Je n'ai plus mal aux genoux ni au dos, mais le café, fini ! Décidément, rien n'est parfait ! »

Une pause, et il lançait :

« Bon, on n'a plus rien à faire ici.

— Si tu permets, papa », fit Charles en levant un index implorant en direction de son père.

Et il se jeta sur sa tasse de café, la vida d'une seule gorgée, émit malgré lui un soupir de satisfaction, qui fit grommeler son père.

« As-tu fait préparer la limousine ?

— Oui...

— Alors allons-y...

— Mais la gouvernante ?

— C'est vrai... »

À ce moment cette dernière revenait à elle, se rétablissait lentement en se relevant sur ses coudes, revoyait Pierre Rainier et s'évanouissait de nouveau. Heureusement, la femme de chambre arrivait au même instant dans la pièce, apercevait la gouvernante dans les pommes, lui prêtait secours et les deux hommes en profitaient pour filer à l'anglaise.

Eugène, le chauffeur, fut surpris et ému de revoir son patron, mais ne s'évanouit pas, et comme il était frotté de spiritisme et de sciences occultes, il lui fallut peu d'explications pour accepter la situation.

Une fois les trois hommes montés dans la voiture, Pierre Rainier demanda à son chauffeur :

« As-tu nettoyé la voiture comme d'habitude, même si je suis mort ?

— Mais oui, patron. »

Il ne l'appelait monsieur Rainier qu'en présence d'étrangers.

« En es-tu bien sûr ? As-tu nettoyé le compartiment à gants ?

— Mais...

— Non, visiblement... je crois que tu devais le faire maintenant... »

Un peu embêté, et intrigué aussi, Eugène ouvrit la luxueuse porte du compartiment en bois d'acajou superbement verni, et aperçut alors une enveloppe, la prit, vit qu'elle portait son nom. Il se tourna vers son patron qui fit simplement un air qui voulait dire : ouvre-la. Ce qu'il fit. Il découvrit alors qu'elle contenait un chèque de 250 000 $ libellé à son nom !

« 250 000 $! s'exclama Eugène mais patron, vous n'étiez pas obligé...

— Et toi tu n'étais pas obligé de me faire éviter des dizaines d'erreurs en me disant ce que tu pensais vraiment de certaines de mes idées, et surtout de certaines personnes qui voulaient me vendre leur salade...

— Oh, je faisais seulement mon travail, patron.

— Non, un peu plus que ton travail. Mais *anyway*, considère que c'est ma petite contribution pour que tu puisses donner à tes six enfants le plus grand cadeau qui soit : la meilleure éducation possible.

— Ils ne finiront pas comme moi, patron, je vous le promets.

— Mais alors, ils ne recevront jamais un chèque de 250 000 $

— Je vais m'arranger pour qu'ils n'en aient jamais besoin !

— Bien dit... »

S'il n'avait pas eu avec son père la conversation qu'il avait eue la veille, Charles aurait sans doute pris ombrage de sa générosité non pas envers un parfait étranger, certes, mais tout de même quelqu'un qui n'était pas vraiment de la famille. Il aurait dit — ou à tout le moins pensé — c'est injuste, et il aurait peut-être poussé les hauts cris. Mais là, il le comprenait, il l'acceptait.

Eugène empocha le chèque et alors Charles haussa un sourcil soudain intrigué et fit remarquer :

« Mais papa, je viens de penser, si ce chèque est là c'est que tu savais que tu allais mourir.

— Mais on sait tous qu'on va mourir un jour, mon fils, objecta finement Pierre Rainier.

— Mais toi, papa, tu savais le jour où tu allais mourir.

— Si tu apprends ce que je vais t'enseigner, si tu deviens celui que je veux que tu deviennes, toi aussi tu vas pouvoir, un jour...»

Charles éprouva une grande émotion, qui le plongea dans un bref mutisme, et Pierre Rainier dit alors :

«Mais chauffeur, qu'est-ce que vous faites ? On y va ou non ?

— Oui, patron ! fit Eugène, enchanté de reprendre, ne fut-ce que pour trois jours, son rôle auprès de son patron adoré et aussi bien sûr de l'étonnant et généreux chèque qu'il venait de ranger dans sa poche.

Quelques minutes plus tard, la limousine, ayant descendu des hauteurs de Westmount, roulait sur une grande artère montréalaise.

Chemin faisant, Charles se fit cette réflexion un peu singulière que c'était la première fois de sa vie qu'il montait dans la limousine de son père, à trente-six ans... Il était temps... À un feu rouge où la limousine s'était immobilisée, Pierre Rainier montra discrètement du doigt un quadragénaire qui avait l'air fort sérieux, fort stressé et à vrai dire épuisé, malgré l'heure matinale, oui, fort stressé comme plusieurs de ses contemporains, dans son costume sombre, avec sa mallette noire à la main. Il regardait avec un agacement évident un couple d'adolescents qui se bécotaient à côté de lui, comme s'ils étaient seuls au monde et en tout cas se foutaient complètement de lui, de son air sérieux, de son air important, comme des soucis qui paraissaient le miner dans la belle, si belle lumière du matin, dans l'air frais de ce printemps montréalais, si longtemps espéré après un hiver interminable.

Le sérieux homme à la serviette levait les yeux au ciel, plissait les lèvres, fumait avec irritation, avec l'air de se dire : «Ils n'ont rien d'autre à faire, ils ne sont pas sérieux, ils n'iront jamais nulle part dans la vie». Pourtant ils monteraient dans le même autobus que lui, mais…

«Voilà l'homme moderne, décréta Pierre Rainier. Qu'est-ce qui le distingue de moi?

— Ben, il a l'air un peu plus stressé que vous, patron, tenta Eugène.

— Exact.

— Et il n'a pas de chauffeur comme vous, patron.

— C'est vrai, ça aussi, et c'est encore plus grave, car il doit se priver des conseils de quelqu'un comme toi!»

Eugène sourit d'aise, montrant ses belles dents.

«Mais ce n'est pas vraiment la réponse que je cherche. Toi, que dis-tu, mon fils?

— Euh, je dis que visiblement il a moins de sous que toi, papa, car il est obligé de prendre l'autobus pour aller travailler…

— Vrai aussi. Mais la vraie réponse, je vais vous la donner. S'il a l'air si stressé, si contrarié, si fatigué à huit heures du matin, et surtout, SURTOUT, s'il n'a vraiment pas l'air de s'amuser dans la vie, s'il a l'air si contrarié par le spectacle de ces adolescents qui se font des mamours, c'est parce qu'il dort.»

Timing parfait car au même moment, le type bâillait!

Charles sourit, mais perdit vite son sourire quand son père ajouta, tandis que la limousine se remettait à rouler :

«Toi aussi tu dors, mon fils, que tu l'admettes ou non. Tu dors parce que tu acceptes depuis des années de faire un travail que tu n'aimes plus, un travail qui n'est pas à la hauteur de ce que tu peux faire, et tu ne te rends pas compte de la gravité de cette lâcheté. Tu as oublié ta grandeur. Oui, ta grandeur, mon fils. Tu as enterré tes talents comme l'ouvrier de la parabole…»

Charles ne protestait pas, il s'était tout simplement mis à pleurer parce que les paroles de son père lui allaient droit au cœur, parce qu'il savait que même si les paroles de son père étaient dures, elle venait de son cœur de père, parce qu'il avait honte de lui, de sa lâcheté.

Après une pause, son père reprit :

« Mais tout n'est pas perdu, cher fils, tout n'est pas perdu, tu es jeune encore...

— Mais qu'est-ce que je dois faire, papa, qu'est-ce que je dois faire ?

— Commence par le commencement. D'abord, inspire-toi de tous les grands hommes qui ont foulé le sol de notre monde depuis des siècles, les grands artistes, les hommes politiques célèbres, les grands auteurs aussi bien sûr, les grands musiciens, comme Mozart, comme Beethoven, mon idole. Lis l'histoire de leur vie, dévore leurs œuvres, écoute leur musique, contemple leurs peintures, vois comment, souvent, leurs débuts furent modestes, comment, même, ils n'étaient parfois pas si doués au départ, défavorisés même par quelque terrible défaut qui aurait découragé la plupart des gens, tous ceux qui dorment en tout cas : mais ils croyaient en leur étoile, ils croyaient en eux-mêmes. Car à la vérité, si tous les hommes ne sont pas égaux, c'est parce qu'ils n'ont pas su également puiser en leurs forces intérieures, ils n'ont pas su exprimer leur talent, découvrir leur grandeur.

Pense à ce que répondit John F. Kennedy à un journaliste qui lui demandait, à quelque temps de son élection, quelle était la chose la plus importante, qu'est-ce qu'il fallait pour devenir président des États-Unis : « Le vouloir ! » se contenta-t-il de répondre.

Et donc considérer qu'il en avait le talent, qu'il en avait la grandeur... puisqu'il le voulait.

«Toi, mon fils, crois-tu que tu es grand?

«Crois-tu que tu as en toi la force de réaliser tous tes rêves, oui, j'ai bien dit TOUS tes rêves!

«Ou resteras-tu toute ta vie comme ce somnambule stressé et irrité qui attend l'autobus, et ne se rend pas compte qu'il pourrait s'amuser, que c'est sérieux de s'amuser, que c'est même la chose la plus importante si on veut réussir?»

Charles ne dit rien mais baissa la tête. Son père avait raison, il dormait comme cet homme qui attendait l'autobus: le front rongé de soucis, la lippe ennuyée: il ne s'amusait plus dans la vie. Son père, qui semblait enflammé par son propre discours (ce ne serait pas la première fois!) ou simplement par la volonté de transmettre à son fils toute cette folle énergie qui l'avait animé pendant toute sa carrière, poursuivait sa tirade:

«De mon vivant, ma mémoire était solide, mais depuis que je suis mort... Ça me fait drôle de dire ça: depuis que je suis mort...

– Moi aussi ça me fait drôle, papa, que tu dises ça...

– Oui, je comprends... Mais bon, c'est juste une étape parmi tant d'autres, le clignement d'une paupière, une phrase, un mot dans le grand dictionnaire de la Vie. Seulement, on ne le sait pas et on s'inquiète et on pleure nos disparus, mais ça aussi, c'est juste un autre clignement des yeux, un autre mot... Mais qu'est-ce que je disais ah! oui, depuis que je suis mort, c'est un véritable émerveillement, ma mémoire me procure de grandes joies... Est-ce parce que je ne suis plus tracassé par les fatigues et les caprices du corps, on dirait que je me rappelle tout avec une précision hallucinante, non seulement tous les événements, toutes les pensées de ma vie, même infimes, mais tous les livres que j'ai lus. Et voilà que me vient spontanément un passage qui éclaire mon propos, une phrase prophétique du grand Léonard de Vinci tirée dans son beau texte : *Sur le vol des oiseaux*. Laisse-moi te le réciter, mon fils adoré :

« Le grand oiseau va prendre son envol du mont Ceceri, remplissant l'univers d'étonnement, remplissant toutes les chroniques de sa gloire, et apportant une gloire éternelle au nid où il naquit. »

« Ah ! c'est beau, je ne le connaissais pas...

— Mais laisse-moi te le commenter, comme font les profs à la faculté de philo, en souvenir de notre jeunesse à tous deux et surtout pour que tu sortes enfin de ta torpeur... *Le grand oiseau va prendre son envol* ! Le grand oiseau c'était Léonard, jeune, mais c'est toi, aussi, mon fils ! Et le mont Ceceri, une montagne près de Florence où le grand artiste passa plusieurs années de sa vie, c'est ta montagne à toi, c'est ton idéal, c'est ton rêve et surtout c'est le lieu précis où tu te trouves en ce moment dans ta vie, car comme tu sais, c'est le lieu parfait pour commencer à philosopher, pour commencer à être heureux, pour commencer à exprimer ta grandeur véritable ! Crois-tu que tu es grand, mon fils, crois-tu que tu es grand ?

Et Charles, impressionné par la fulgurance du discours de son père, par sa répétition emphatique et pourtant efficace, balbutia une amorce de réponse, mais son père l'interrompit, poursuivit :

« Car si tu n'y crois pas toi-même, cher fils, qui y croira, qui y croira, dis-le-moi ? Toute la foi que j'ai en toi — et elle est immense sinon je n'aurais pas pris ce pari de ne rien te laisser — restera lettre morte si toi tu n'y crois pas ? Crois-tu en ta grandeur, mon fils ? »

Et enfin Pierre Rainier laissa à son fils le temps de répondre.

Et ce dernier, avec une certaine gêne, osa dire, enfin :

« Oui, j'y crois, j'y crois… »

Pierre Rainier esquissa un large sourire puis dit à son chauffeur :

« Sur le belvédère, Eugène, s'il te plaît.

— Oui, patron.

— Et mets la *Neuvième* de Beethoven.

— On saute le premier mouvement et on met tout de suite le deuxième ?

— *Yes. I'll buy that* ! »

Et avant que son chauffeur, ravi, ait le temps de mettre le deuxième mouvement de la *Neuvième*, Pierre Rainier chanta de sa belle voix de ténor les célèbres notes de sa saisissante attaque.

Puis comme la musique commençait, l'ancien grand homme d'affaires ordonna, d'une voix forte, presque en criant :

« Plus fort, plus fort ! On n'entend rien !

— Oui, patron », obéit Eugène.

Et il souriait, il s'amusait comme un enfant devant une grande personne qui déconne, qui bouffonne, qui dépasse les bornes, il se régalait parce qu'il adorait son patron, parce qu'il adorait ses excès, parce qu'il adorait sa folie.

Quelques minutes plus tard, la limousine s'immobilisait au sommet de la montagne, sur le belvédère de Westmount, lieu fréquent de méditation et de décision solitaire de Pierre Rainier, d'où on pouvait contempler toute la ville, et, au loin, magnifiques dans la lumière rose et or du matin, le majestueux fleuve Saint-Laurent, le pont Champlain…

« Maintenant, mon fils, voyons si ta mémoire est aussi bonne que la mienne lorsque j'avais ton âge, récite avec moi cette folle prophétie de Léonard, le modèle de ma jeunesse...»

Il dit alors les premiers mots :

«Le grand oiseau va prendre son envol...»

Et son fils, merveilleusement, enchaîna :

«Du mont Ceceri, remplissant l'univers d'étonnement...»

Et le père et le fils, se regardant les yeux dans les yeux pour la première fois de leur vie (même si Pierre Rainier était mort, comme on croyait) dirent à l'unisson comme deux merveilleux comédiens, le reste de la citation : «remplissant toutes les chroniques de sa gloire, et apportant une gloire éternelle au nid où il naquit.»

Ils se sourirent en silence et moi qui écris ces lignes je pensai, les larmes aux yeux : mon père est vieux, mon père est vieux, et bientôt il sera mort, il sera mort et froid dans la tombe et pour toujours silencieux.

Et il n'y aura pas de mendiant pour le faire revenir...

Alors, orphelin de lui, que ferai-je en ce temps, que ferai-je en ce temps pour soigner le vide de ma vie ?

6

Aime passionnément ton métier

« **M**archons un peu dans le quartier... », suggéra Pierre Rainier à son fils.

Les deux hommes descendirent de la limousine.

« Hum, papa, fit remarquer Charles, tu risques d'attirer l'attention avec ton aspect comment dire... fantomatique.

– Vrai... », admit-il.

Et il réfléchit à une solution, mais ce fut Eugène qui la trouva le premier :

« Vous voulez ma casquette et ma veste, patron ?

– Bonne idée ! »

Charles acquiesçait d'un sourire. Eugène à son tour descendit de la limousine, retira sa veste et sa casquette que revêtit son patron. Son corps spectral avait assez de densité pour supporter les vêtements, comme il en avait eu d'ailleurs pour retenir la gouvernante défaillante, la tasse de café.

« C'est mieux ? s'enquit-il.

– Oui, mais il manque quelque chose... », observa Eugène, une grande ride sur le front : et il lui offrit alors ses lunettes fumées.

Pierre Rainier les mit, sourit.

« Parfait, papa ! applaudit son fils.

— Mets *La Marche funèbre* de Chopin, Eugène, et suis-nous...

— Oui, patron ! »

Le chauffeur réintégra la limousine, mit la célèbre *Marche funèbre*. C'était la version pour piano seul.

« Plus fort ! ordonna Pierre Rainier.

— Oui, patron ! »

Et avec un large sourire, il obtempéra, et maintenant les premiers accords résonnaient très fort. Charles grimaça.

« Mais papa, tu ne trouves pas que, dans les circonstances, *La Marche funèbre* c'est un peu lugubre ?

— Non, au contraire, c'est tout à fait de circonstance, parce qu'en cet instant, c'est ton vieux moi que tu enterres, ton vieux moi avec ses vieilles habitudes, ses peurs... Oui, c'est ton vieux moi que tu enterres et tu te réveilles de ton long sommeil. Écoute les notes, écoute, tu ne vois pas que c'est ce que nous dit Chopin en secret, que c'est un hymne à la vie, un chant de résurrection ? Écoute la puissance de cette musique, écoute mon fils... Ne te vois-tu pas qui t'éveilles à ta grandeur ?

— Oui, je... on dirait que oui... »

Ce dernier, comme s'il voulait être sûr que son fils comprenait, ou simplement entraîné par la puissance de la musique, ramassait une branche d'arbre sur le trottoir, et, comme il avait fait à la fin de sa vie pour un orchestre dont il était le généreux mécène, il feignait de diriger. C'était un orchestre imaginaire bien sûr, mais les gestes de Rainier étaient si saisissants, si magnifiquement théâtraux, que Charles avait l'impression qu'il y avait bel et bien un orchestre.

Pierre Rainier se mit alors à chanter à tue-tête l'air de *La Marche funèbre,* ce qui ne manqua pas d'étonner son fils. Il se rendait compte qu'il n'avait jamais connu son père au fond, que c'était un homme bien singulier, et que véritable fou de Léonard de Vinci et de Beethoven, il était ce qu'il avait dit qu'il était depuis ses débuts : non pas un homme d'affaires, mais un philosophe, un artiste, et original de surcroît.

Pierre Rainier s'interrompit un instant, se tourna vers son fils qui marchait à ses côtés, et dit :

«Allez chante, toi aussi, chante, pour te pénétrer de la mystérieuse puissance de Chopin. Chante et deviens cette musique ! Chante et éveille-toi à ta grandeur !»

Après une hésitation, Charles se mit à marmonner timidement l'air.

«Plus fort, ordonna son père, plus fort !»

Charles s'abandonna, se mit à chanter avec plus de conviction, non sans penser que son père et lui avaient sans doute l'air de deux fous.

Un chien, qui sortait du sentier qui s'enfonçait dans le bois avoisinant, se mit à les suivre.

«On dirait le cortège funéraire de Mozart ! fit observer Pierre Rainier.

— Vrai...»

Ce chien n'était pas un chien errant, car bientôt trois jeunes enfants le rejoignirent, deux charmantes fillettes, l'une de sept ans, l'autre de six, et un petit garçon de cinq ans, véritable chérubin à tête blonde.

Le spectacle des deux hommes les enchanta, et croyant que c'était un jeu, ils se trouvèrent tous les trois une branche morte, et à la queue leu leu firent aussi semblant de diriger un orchestre.

« C'est nous qui devrions les suivre, fit observer Pierre Rainier, parce que c'est eux qui détiennent le secret, jusqu'à ce qu'ils deviennent des adultes. Rappelle-toi cette vérité quand je serai parti, mon fils. »

Enfin, la musique cessa, les trois gamins jetèrent leur « baguette » puis s'enfoncèrent dans un autre sentier avec leur chien.

Les deux hommes, toujours suivis par la limousine, arrivèrent sur une rue où il y avait plus de maisons, toutes somptueuses.

« Sais-tu pourquoi ces gens vivent ici ? demanda Pierre Rainier.

— Euh, ils aiment le quartier.

— Oui, évidemment, mais je veux dire comment se fait-il qu'ils peuvent se le permettre ? La réponse est simple c'est que, à part ceux qui ont hérité, bien entendu...

— Hum, fit Charles.

— Ces gens ont aimé passionnément leur métier. Et c'est ce que tu dois faire, mon fils. »

Et alors pendant de longues minutes, Pierre Rainier parla de passion à son fils.

« Tu as sûrement entendu dû dire : "Tout ce qui vaut la peine d'être fait vaut la peine d'être bien fait." Moi je fais un pas de plus, et je dis : "Tout ce qui vaut la peine d'être fait vaut la peine d'être fait... avec passion !" Oui, voilà le secret le plus important, il me semble : "Choisis un métier selon ton cœur, choisis un métier que tu aimeras passionnément..." »

Et si tu ne peux pas l'aimer follement, choisis-en un autre !

Et s'il n'y a aucun métier que tu puisses aimer follement, alors inventes-en un !

Et si tu ne le peux pas, je te plains, honnêtement...

Car de toute ma vie je n'ai connu un seul homme, une seule femme à succès qui n'ait aimé passionnément son métier.

Mais aussi – et c'est consolant – j'ai rarement connu un homme ou une femme qui aimait passionnément son métier et qui n'a pas fini par réussir, car c'est quasi inévitable, c'est quasi mathématique.

Tu vois, cher fils, le succès est comme une femme : il n'aime pas les hommes timorés, les hommes tièdes, qui hésitent, tergiversent, malgré le charme qu'on prête parfois aux timides.

Si quand tu choisis ton métier, tu veux juste faire des sous, tu veux juste gagner ta vie, comme on dit, tu te condamnes à la médiocrité, à l'ennui et au malheur.

Tu rentreras au bureau à reculons, tu auras l'esprit ailleurs, tu trouveras le temps long alors qu'il passe si vite, si vite quand on aime ce que l'on fait. À midi tu rêveras déjà de retourner chez toi, le mercredi tu penseras au vendredi et sans t'en rendre compte tu laisseras le pire des poisons s'insinuer dans tes veines, et bientôt gâcher ton humeur, ta santé, ta vie !

Ne prends pas ces choses à la légère car elles sont graves. Respecte-toi, mon fils, c'est le premier de tes devoirs !

Ne t'impose pas ce que tu imposerais à ton pire ennemi.

Ne gaspille pas ton talent, parce que... C'EST TA VIE QUE TU GASPILLES !

Si tu te rendais compte juste de ça, si tu comprenais juste ça, je serais content d'être venu te retrouver.

Car vois-tu, lorsque tu aimes ainsi follement ton métier, lorsque tout ce qui concerne ton métier t'intéresse, t'allume, te fait vibrer, te fascine, il se passe quelque chose d'étonnant dont j'ai eu mille exemples dans ma vie. Aimerais-tu connaître ce phénomène mystérieux, cher fils ?

7

Ne sème pas à tout vent !

aintenant, écoute ce conseil de P.T. Barnum, un des fondateurs du grand cirque Barnum and Bailey, qui s'y connaissait un peu en affaires : « Ne disséminez pas vos forces. Une fois engagé dans une affaire, tenez-vous-y fixement jusqu'à ce que vous réussissiez, ou jusqu'à ce qu'elle ne vous donne plus d'espoir. À force de frapper du marteau sur un clou, on finit par l'enfoncer s'il peut être enfoncé... *Quand l'attention d'un homme est tout entière concentrée sur un seul objet, il finit par concevoir des procédés meilleurs*, dont l'idée ne lui fût pas venue s'il eût permis à douze projets divers à la fois de tirailler sa cervelle dans tous les sens. Plus d'une fois, la fortune a glissé entre les mains d'un homme parce qu'il s'engageait dans trop d'occupations en même temps. Ne courez pas deux lièvres à la fois, dit le proverbe, et le proverbe a raison. »

Si tu veux mon conseil, relis cette citation, encore et encore, car elle contient beaucoup de sagesse. Tu te souviens à l'université lorsque nous faisions de l'exégèse, alors si tu veux faisons-en ensemble, cher fils.

Ne dissémine pas tes forces, persévère dans une même direction, frappe sur le même clou, mais note aussi la touche réaliste : on finit par l'enfoncer... s'il peut être enfoncé ! Parfois en effet, sans qu'on le sache, la pointe du clou se trouve sur une pierre, ou une plaque de métal, et tous nos efforts seront vains.

On a choisi le mauvais métier, – ou on l'a choisi pour les mauvaises raisons, ce qui revient tout à fait au même.

On l'a choisi pour la gloire, l'argent, la reconnaissance sociale, et aussi trop souvent pour faire plaisir à ses parents, mais au fond on n'aime pas vraiment ce métier et on frappe le clou par obstination, pour prouver qu'on a raison, parce qu'on ne veut pas perdre, parce qu'on tient absolument à gagner, c'est un peu comme un homme qui tient à séduire une femme pour la voler à un copain, parce qu'elle est la femme la plus belle en ville, mais au fond elle ne l'intéresse pas vraiment, il n'est pas amoureux d'elle, c'est juste une question de vanité.

Mais voyons un passage encore plus intéressant, c'est la phrase-clé, il me semble : « *Quand l'attention d'un homme est tout entière concentrée sur un seul objet, il finit par concevoir des procédés meilleurs,* dont l'idée ne lui fût pas venue s'il eût permis à douze projets divers à la fois de tirailler sa cervelle dans tous les sens... ! »

Oui, voilà la vraie magie qui résulte de la persévérance !

Ceux qui ne persévèrent pas ne la connaissent jamais, et c'est dommage, car sans elle pas de succès véritable.

Pense constamment à la même chose, applique-toi jour après jour, patiemment, alors petit à petit tu t'éveilleras du sommeil dans lequel tu sommeillais sans le savoir !

Aveugle, tu commences à voir, oui, à VOIR, dans le sens le plus noble, le plus magique du mot.

Tu deviens un voyant, tu vois des choses que les autres ne voient pas.

Tu vois ce que tes grands prédécesseurs ont vu avant toi, tu comprends ce qu'ils ont fait, ce qui a fait leur succès, leurs principes, les règles de leur art, leurs procédés, leurs astuces, leurs habitudes de travail aussi et leur mentalité. Oui, toutes ces choses, toute cette philosophie, tu les comprends, tu te les appropries, tu les fais tiens.

Tu étais un chameau, selon les trois métamorphoses de l'esprit si poétiquement décrites dans *Ainsi parlait Zarathoustra* de Nietzsche, que tu connais, je sais, cher fils philosophe.

Maintenant tu deviens un lion, un expert, un savant dans ton domaine. Ayant porté sur ton dos, comme un chameau, tout ce que tu pouvais apprendre des autres, tu découvres de nouvelles manières d'appliquer un procédé ancien, que tu as «volées» si je puis dire à un de tes prédécesseurs ou à un de tes contemporains brillants.

Si ça marche pour lui pourquoi ça ne marcherait pas pour toi ?

On dit souvent qu'on apprend de ses erreurs, de ses échecs.

C'est vrai, assurément.

Mais on oublie souvent qu'on peut beaucoup apprendre du succès.

De ses succès.

Mais comme ils sont souvent rares au début, pourquoi ne pas apprendre du succès des autres ?

Pourquoi ne pas tenter de les analyser, de les décortiquer, de les défaire en morceaux, comme un lion fait avec sa proie, comme, par exemple fit Honda à ses débuts en démontant les motocyclettes puis, plus tard, les voitures fabriquées par ceux avec qui il voulait rivaliser ?

En un mot comme en mille, à tes débuts, copie intelligemment !

Pourquoi perdre du temps à réinventer la roue chaque fois ? Mais tu la réinventeras pourtant à un moment, car il faut aussi innover, faire des choses différentes, inventer, être original. C'est ce que le public de tout temps veut, demande, exige : la nouveauté !

Tu la réinventeras, la roue, car si tu persévères dans ton domaine, tu deviendras un enfant, c'est l'ultime métamorphose de l'esprit qu'annonce Nietzsche.

Ton esprit alors NAÎT véritablement.

Il devient fécond, créatif.

Tu ne cherches plus les idées, ce sont elles qui te cherchent !

Comme disait Picasso, tu ne cherches plus, tu trouves !

Des idées nouvelles, des idées lucratives…

Partout où tu tends la main, tu cueilles un fruit.

Ta traversée du désert est terminée : la manne tombe du ciel en abondance !

Tu n'as plus le sentiment de travailler, tu t'amuses, tu joues : tu es redevenu un enfant, seulement tu as l'expérience d'un homme.

C'est plus payant !

Tu vois des opportunités là où tu ne les voyais pas avant, là où personne ne les voit, même ceux qui se tiennent juste à côté de toi, car eux dorment encore, ils ne se sont pas éveillés. Ils sont encore aveugles, je veux dire dans ton domaine.

Les occasions surgissent, les gens viennent à toi et t'offrent des affaires sur un plateau d'argent, tu es entré dans la caverne d'Ali Baba, peu importe la direction où tu tournes ton regard, tu vois des trésors.

C'est la fortune !

Tout ça parce que tu t'es concentré sur un seul domaine, parce que ton attention est restée tout entière sur un seul objet.

8

Améliore-toi chaque jour

Le secrétaire d'État américain Henry Kissinger pratiquait la diplomatie des petits pas, qui consistait à faire, dans ses négociations, de petits progrès, de petits gains mais constants, un peu comme aux échecs on avance patiemment ses pions, pour assurer sa position et préparer la victoire finale. Le grand diplomate était du reste un joueur d'échecs émérite.

Fais la même chose dans ton métier !

Chaque jour que Dieu te donne, patiemment, fais de petits pas pour t'améliorer, fais des progrès, même infimes...

Apprends une nouvelle chose...

Découvre une nouvelle manière de faire plus efficacement ce que tu faisais déjà...

Une nouvelle manière de faire plus d'argent dans ton métier aussi...

Car l'argent est le nerf de la guerre, ne l'oublie jamais !

Oui, chaque jour, tente de t'améliorer, et même de devenir le meilleur dans ton domaine...

Ça en prend un, non ?

Alors pourquoi pas toi ?

Tu veux devenir romancier ?

Alors dis-toi, je deviendrai le meilleur raconteur d'histoires de tous les temps, le plus drôle, le plus émouvant, le plus habile, le plus touchant, le plus prolifique : le meilleur romancier !

Deviens le meilleur dans ton domaine parce que tu en manges, parce que tu y penses constamment, jour et nuit, en une obsession magnifique, et si tu n'y penses pas constamment, je te donne le conseil suivant, et tu serais bien avisé de le suivre : pense à faire autre chose, car tu ne réussiras pas dans ce domaine. Car il y a trop de gens plus affamés que toi, plus décidés que toi, plus enragés que toi, qui, eux, y pensent constamment, dont c'est l'obsession et qui par conséquent te dameront le pion, te doubleront à la ligne d'arrivée, te voleront la place que tu veux trop tièdement.

Sois audacieux !

Aie cette merveilleuse simplicité d'esprit dont sont souvent dotés ceux qui réussissent ! Ils ne se posent pas trop de questions, en tout cas beaucoup moins que ceux qui s'en posent tant que, à la fin, n'ayant pas trouvé de réponses à toutes leurs questions, ont préféré ne rien faire.

Tu ne trouveras jamais TOUTES les réponses à TOUTES tes questions avant de te lancer, et au fond c'est mieux ainsi, c'est ce qui rend l'aventure si passionnante, le fait que TU NE PEUX PAS TOUT PRÉVOIR. Celui qui veut tout prévoir ne se lancera jamais en affaires ou encore il le fera avec une angoisse si grande qu'il empoisonnera toute son existence et celle de ses proches. Ceux qui réussissent disposent souvent de cette merveilleuse simplicité d'esprit... Si on leur demande : « Qu'avez-vous fait pour réussir ? », souvent ils répondront tout simplement : « Je ne sais pas : je l'ai fait, je me suis lancé... ! »

Mets-toi donc en route tout de suite, pas dans un an, pas dans un mois, mais... TOUT DE SUITE !

C'est TOUJOURS le meilleur moment.

Ceux qui disent autrement, qui pensent autrement, se trompent et restent la plupart du temps assis toute leur vie à regarder passer la parade, puis ils se disent : *« J'aurais dû. »*

Ceux qui disent autrement, qui pensent autrement, se trompent, oui.

Pourquoi ?

Parce que s'ils ne sont pas impatients de se lancer, s'ils peuvent se retenir, c'est que l'aventure ne les passionne pas, et si elle ne les passionne pas, ils échoueront : c'est mathématique.

Pourtant, si tu dois te lancer avec impatience, une fois lancé, ne laisse pas l'impatience empoisonner ton esprit, miner ta confiance : Rome ne s'est pas construite en un jour, ni aucun grand talent, ni aucun grand succès...

Mais avec le temps, jour après jour...

Le soir avant de te coucher, demande-toi, avec honnêteté, avec lucidité, qu'ai-je fait aujourd'hui pour me rapprocher de mon but, qu'ai-je appris que j'ignorais ?

Suis-je plus proche de mon but que je ne l'étais ce matin, me suis-je amélioré, suis-je un meilleur romancier ?

Le succès est comme un arbre, un arbre dans lequel il y a des milliers de feuilles, chaque petit pas que tu fais est comme une feuille nouvelle dans l'arbre de ton succès...

Pense à tes efforts, comme le supplice de la goutte pour la Vie, la Vie qui, pour le moment, te refuse le succès que tu mérites, mais à la fin, à force de recevoir sur la tête les gouttes d'eau de tes efforts, elle cède enfin et devient folle et te donne... un succès fou !

Car il y a une véritable magie dans la persévérance, aimerais-tu que je t'en parle davantage ?

9

Persévère

La plupart de ceux qui échouent, échouent pour une raison bien simple : ils ont laissé tomber trop tôt !

Cinq ans, un an, un mois, un jour trop tôt – s'ils avaient su ! ! !

Oui, juste un peu trop tôt, bien souvent, alors que le succès était parfois fort proche, mais ils n'ont pas su le humer, l'attendre, et par conséquent en cueillir le fruit délicieux !

Un autre qu'eux l'a cueilli, souvent sous leur nez...

Un autre qui avait peut-être moins de talent, moins d'expérience, qui peut-être même était moins intelligent, n'avait pas de diplômes...

Quelle ironie – et en même temps quelle belle leçon de la Vie !

Mais pourquoi au fond ont-ils lâché ?

Ils ont lâché parce qu'ils se sont lancés dans cette aventure, dans ce métier, pour... les mauvaises raisons !

« Les mauvaises raisons ? demanda Charles.

– Oui, dit son père, et si tu savais combien de gens le font, c'en est désolant... Et quelle est la mauvaise raison la plus générale ?

– La sécurité, l'argent ?

— Exact. L'argent. Chacun, à l'aube de sa carrière ou au moment d'en entreprendre une nouvelle, devrait se poser la question suivante, c'est le test le plus sévère et en même temps le plus révélateur : si tu avais à choisir entre 5 millions et ta carrière, que choisirais-tu ?

À tous ceux qui choisissent l'argent, qui sont prêts à renoncer à leur carrière, je dis, renoncez-y en effet !

C'est votre choix le plus sage, car vous ne réussirez pas, ou en tout cas les chances sont minces.

Car vous le faites pour les mauvaises raisons.

Ou alors, même si vous réussissez, vous ne serez pas heureux, et comme c'est, ultimement, la raison pour laquelle on fait toute chose, vous aurez échoué en somme.

Cinq millions ou ta carrière ?

Bien sûr, me diras-tu, il y a beaucoup de gens qui ne gagneront jamais cinq millions dans toute leur existence, et qui ne travaillent que parce qu'ils doivent… gagner leur vie, comme on dit, et pour qui le choix d'un métier est secondaire.

Mais je m'adresse ici aux véritables ambitieux, à ceux qui ont de grands rêves, qui veulent autre chose que l'existence routinière dont se contentent la plupart des gens.

Si tu as repoussé bravement les cinq millions, si tu as préféré ton métier, ton rêve, c'est sans doute qu'il est plus en accord avec ta nature intérieure, avec tes dispositions qui correspondent à ton niveau de développement.

Peut-on dire à un oiseau, tu ne chanteras plus, à une rose tu cesseras de répandre ton parfum ?

Non, parce que c'est l'un et l'autre leur nature.

Choisis donc un métier selon ta nature véritable et profonde, alors tu n'auras d'autre choix que de persévérer, car arrêter ce sera pour toi mourir…

Persévère, même si au début les gens rient de toi, se moquent de ta maladresse, décrie ton produit, tes services, même si les gens te disent que gagner sa vie comme romancier c'est impossible et ils te le prouvent par de grandes et désolantes statistiques. "Il n'y a pas une personne sur dix mille qui y arrive, alors prends ton rêve, prends ton talent et mets-les sagement à la poubelle, sois raisonnable, fais comme nous, on a l'œil morne, un ulcère qui nous ronge, le rire rare et faux, mais au moins on fait nos paiements!" Quel programme! Prouve à ces morts-vivants qu'ils ont tort, que cette personne sur dix mille qui pourra gagner sa vie comme romancier, ce sera toi.

— Oh, ça m'encourage ce que tu me dis, papa, ça m'encourage...

— Laisse-moi te dire encore ceci... Quand je te disais, deviens le meilleur, ça ne veut pas dire bien entendu, sois le meilleur dès le départ...

Ce serait irréaliste et décourageant...

Pense à l'exemple des Japonais. Tu es trop jeune pour l'avoir vécu, mais moi, dans ma jeunesse, lorsque qu'on disait d'un produit c'est *made in Japan*, ce n'était certes pas un compliment, c'était en fait une insulte, ça signifiait, c'est de mauvaise qualité, ça va briser en moins de deux.

Et maintenant, quand on dit c'est *made in Japan,* ou plus souvent c'est japonais, qu'est-ce qu'on annonce? Que c'est de très grande qualité, que c'est durable, sophistiqué...

Oui, *made in Japan*, pour une voiture, une moto, un gadget électronique, un jeu, ça veut dire qualité, fiabilité, ingéniosité.

Étonnant, non?

Made in Japan...

Trois mots avec une signification tout à fait différente, en fait diamétralement opposée...

Dans ton métier, cher fils, inspire-toi de la grande persévérance des Japonais, des belles qualités morales de ce peuple dont le pays était complètement rasé après la Seconde Guerre mondiale et avait pour seule matière première... sa matière grise !

Inspire-toi de la belle persévérance d'Ernest Hemingway qui a réécrit plus de cinquante fois la première page du *Vieil homme et la mer.*

Réécris, réécris, réécris ton début pour qu'il soit irrésistible !

Va plus loin encore, fais comme si chaque page de ton roman était la première page, chaque chapitre le premier chapitre.

Tu n'as pas une deuxième chance de faire une première bonne impression.

Acharne-toi, polis patiemment ton ouvrage, mais en même temps fais preuve de mesure, ne tombe pas dans le piège trop fréquent du perfectionnisme.

Rappelle-toi la belle pensée de Pascal (elles le sont toutes) : « On n'achève pas un ouvrage, on l'abandonne. »

Crois que ton roman, que chaque partie de ton roman, que chaque personnage, chaque scène, chaque réplique était aussi important que si c'était un film de 100 millions de dollars. Ne prends rien à la légère, mais en même temps travaille le cœur léger : c'est le beau paradoxe du succès.

Au début, peut-être, on rira de toi, comme on a ri des Japonais.

On dira de tes romans, parce que tu es un débutant, un débutant passionné mais seulement un débutant, qu'ils sont *made by Charles Rainier...*

Donne-toi un an, trois ans, cinq ans pour réussir...

C'est si peu, cinq ans, dans la vie, quand on fait ce que l'on aime et juste ce que l'on aime, même si les broyeurs de noir professionnels disent que ce n'est pas possible et ne veulent surtout pas que tu le fasses parce que ça jetterait tout leur beau système par terre et alors ils en pleureraient de rage...! Et bientôt, on dira de tes romans qu'ils sont *made by Charles Rainier*, et ce sera un gage de qualité, d'excellence, la référence.

Qu'est-ce qui sépare les Japonais des débuts – dont tout le monde riait – des Japonais d'aujourd'hui?

Le T-E-M-P-S!!!

Oui, le TEMPS, tout simplement cette denrée si précieuse dont nos réserves sont parfois beaucoup moins importantes qu'on ne croit, j'en sais quelque chose, et toi aussi, n'est-ce pas, mon fils?

Le temps et aussi, et surtout, bien entendu, la persévérance, le fait de s'améliorer constamment, de... D-U-R-E-R!

Oui, DURER!

Sonde toute la profondeur, toute la puissance de cette simple action: durer.

Résister au passage du temps, aux obstacles, aux contrariétés, aux déceptions, à la fatigue, à la maladie, aux échecs, au découragement, aux démissions des gens autour de soi, au manque d'argent, aux dettes, au stress, à la tentation de faire autre chose, au ras le bol, à la critique de ses amis, de ses parents, de ses associés, aux difficultés du marché, du monde, de la Vie.

DURER...

Durer, oui, comme le chêne qui, à ses débuts, n'était qu'un modeste gland et dont la majesté, après cinquante ans, après cent ans, impressionne, car il a simplement... D-U-R-É!

Il a résisté aux intempéries, à la maladie, aux mains des hommes, aux ans...

De même qu'on dit dans le *show-business*, *90% of succes is to show up* (90% du succès consiste à se présenter), en affaires, peu importe laquelle, 90% du succès est de tenir le coup, de persévérer, de durer...

Pense qu'il y a en Grèce des oliviers qui ont plus de deux mille ans, qui donc ont été contemporains d'Aristote, de Socrate, de la pythie de Delphes! Pense à la fabuleuse mémoire qu'ils auraient s'il en avait une, à leur expérience phénoménale, à leur sagesse!

Deviens comme ces oliviers : dure, tu réussiras!

Ces mots furent les derniers conseils de la journée.

Pierre Rainier se mit à contempler fixement les très beaux nuages qui se formaient dans le ciel, puis dit à son fils :

« Il faut que je reparte là-haut maintenant, je me sens aspiré, je ne peux pas me l'expliquer...

— Mais papa, fit avec affolement Charles, je croyais que tu resterais trois jours?

— Mais oui, mais oui, ne t'inquiète pas! Je vais revenir. Rencontrons-nous au golf demain matin à sept heures, au vestiaire.

— Tu veux jouer au golf? demanda avec étonnement Charles.

— Oui, une dernière fois. Il y a des terrains au ciel, ils sont magnifiques, mais ce n'est pas pareil. Tout est trop facile, trop parfait. Et puis c'est ma dernière chance de jouer avec toi avant longtemps, non?

— Oui... »

Et Charles se rappela alors que, une dizaine de jours plus tôt, son père, peut-être dans une ultime tentative de réconciliation, l'avait appelé pour aller jouer au golf, tout excité : le terrain ouvrait après un trop long hiver.

Mais il lui avait dit non.

Et il pensa alors que peut-être, s'il avait accepté, son père ne l'aurait pas déshérité. Il se ravisa : mais non, pas après ce que son père lui avait expliqué de long en large au sujet de ses véritables raisons de le laisser sans un sou...

Mais il pensa surtout qu'il avait été, comment dire ? téméraire, ou plutôt étourdi comme on l'est tous. Il avait dit non à son père, il lui avait refusé un plaisir qu'il savait grand pour lui, car son autre fils ne jouait pas. Oui, il lui avait dit non, sans savoir que c'était la dernière fois que son père lui demanderait cette faveur.

Enfin l'avant-dernière, grâce aux mystérieux, aux miraculeux événements que l'on sait...

Pierre Rainier esquissa alors un sourire, fit un petit salut à son fils, dit à demain, et s'envola à toute vitesse vers les nuages qu'il avait longuement contemplés.

Charles eut un petit serrement au cœur, pensa : « *Reviendra-t-il vraiment demain, où est-ce la dernière fois de ma vie que je le vois ?* »

En retournant chez lui, il pensa qu'il avait souvent dit non à Clara aussi.

Pour le mariage...

Pour un enfant...

Et aussi pour une foule d'autres choses moins importantes, pour des voyages, des vacances, même le simple choix d'une lampe ou le tissu d'un sofa, la couleur d'un mur !

Oui, comme si c'était son sport favori — et pourtant pas tout à fait conscient, jusqu'à ce jour — de lui dire non, de la dénier...

Et maintenant, il ne pouvait plus lui dire non : elle était partie !

Mais en fait, se réjouit-il un instant, se frappant le front, elle est peut-être revenue !

Après tout, nous avons passé la nuit ensemble et c'était plutôt tendre, merci !

Il se hâta de rentrer : Clara était absente...

Et il se rendit alors compte, bouleversé, qu'elle avait commencé à déménager. Son placard était vide. N'y restait plus, suspendue, ironique, qu'une robe qu'elle ne portait plus depuis longtemps et n'avait du reste jamais aimée !

Sur la table de la cuisine, il trouva une note laconique de sa main : « Bonjour Charles. Je viendrai avec toi à l'enterrement de ton père, après-demain. Désolée pour tout. Mais comme tu m'as dit un jour, pour me narguer : *Sic transit gloria mundi*. Tout passe, même le grand amour, alors à plus forte raison, quand ce n'en est pas... C. »

Là il comprit que Clara était sérieuse et que, probablement, comme elle l'en avait prévenu la veille après une étreinte pourtant follement romantique, elle ne reviendrait pas.

10

Sois curieux !

Charles passa une nuit épouvantable. Il retourna cent fois dans sa tête le petit mot si cruel de Clara et aussi son ironique citation latine : ainsi passe la gloire du monde... Elle prenait sa revanche, lui rendait la monnaie de sa pièce, peut-être parce que, souvent pendant leur vie commune, il l'avait reprise quand elle parlait, quand elle écrivait et même quand elle raisonnait, ce qui la mettait en boule.

Maintenant, il n'avait plus personne à reprendre, à corriger...

Il pensa aussi à son père, se fit du mauvais sang en se demandant s'il serait à leur rendez-vous, le lendemain, au club de golf.

Il y était, à l'heure, cette fois-ci, et Charles le trouva encore plus beau que la première fois, comme si la mort lui... allait à ravir ! Ses yeux étaient encore plus profonds, plus expressifs, plus bleus, sa peau plus lumineuse !

« Tu es bien pâle, lui fit remarquer son père, on dirait que c'est toi le fantôme.

— Je n'ai pas bien dormi...

— Moi, je n'ai pas fermé l'œil de la nuit. C'est une des choses formidables en haut : on ne perd pas le tiers de sa vie à dormir !

Les deux hommes se trouvaient sur le premier tertre de départ du club Laval-sur-le-Lac, où ils étaient membres depuis des années. Pierre Rainier, pour passer inaperçu auprès des autres membres, portait un grand chapeau de paille à la Greg Norman, des lunettes fumées, et aussi — mais le temps frisquet de ce matin de mai le justifiait — un pull à col roulé et manches longues. Un peu curieusement, comme un golfeur frileux, il portait ses gants de golf d'automne, c'est-à-dire un dans chaque main.

Pierre Rainier pouvait se targuer, à la fin de sa vie, d'une marge d'erreur de 8, ce qui était excellent pour un homme de son âge qui, écrasé de responsabilités, ne jouait pas 30 fois par année. Son fils, lui, avouait une marge de 4, mais il jouait plus souvent que son père, surtout pendant ses exceptionnellement longues vacances d'été de professeur d'université.

Et pourtant, le père servit une magistrale leçon de golf à son fils.

Au deuxième trou du parcours vert, une courte normale 3 de 155 verges, il s'offrit même le premier trou d'un coup de sa vie !

De sa vie... manière de parler, bien entendu !

Il fit en outre 7 oiselets, pour un score total de 63, sa meilleure ronde à vie. Lorsqu'il s'en rendit compte, il s'exclama, utilisant une expression golfique connue : « J'ai "joué mon âge" ! » Ce qui en général arrive seulement à des joueurs exceptionnels, vu la difficulté de la chose. Son fils, qui s'était débattu comme un diable dans l'eau bénite pour tenter de résister à son père, dut se contenter d'un score pourtant honorable de 78 !

Une véritable raclée !

Comment expliquer pareille performance ?

«Pour la première fois de ma vie, dit Pierre Rainier qui ne frappait pas plus fort que dans la vraie vie (un respectable 240 verges, tout de même !) j'ai compris ce que voulait dire être "dans la zone" ! C'est simplement de n'avoir aucun doute dans son esprit, voir le coup idéal, et, tout simplement, l'exécuter !»

C'est pour cette raison d'ailleurs qu'il avait calé des coups roulés incroyables !

Il était heureux comme un enfant...

Entre chaque coup, il n'avait pas manqué de deviser avec son fils. Voilà ce qu'il lui avait dit, dans le décor enchanteur du magnifique terrain de golf :

«Inspire-toi une fois de plus de mon idole, le grand Léonard, qui dit dans ses fameux *Carnets* : "Décris comment les nuages sont formés, et comment ils se dissolvent, ce qui fait que la vapeur monte des eaux de la terre dans les airs, et la raison des brouillards, et ce qui rend l'air épais, et pourquoi il semble plus ou moins bleu à différentes heures... Décris ce que c'est que de renifler, bâiller, le manque d'équilibre, les spasmes, la paralysie, les frissons de froid, la transpiration, la fatigue, la faim, le sommeil, la soif, le désir... Décris la langue du pic-bois..."»

Étonnant, non ?

Et en comparaison de ce grand esprit, n'avons-nous pas tous l'air de somnambules qui traversent la vie sans nous questionner, nous contentant de manger, de dormir, de payer nos comptes ?»

Oui, sois comme lui d'une curiosité insatiable dans ton domaine !

Deviens comme lui l'homme le plus curieux du monde !

Lis constamment. Dévore tous les grands romans, du passé et d'aujourd'hui ! Sois curieux de tout ce qui se passe, se fait, se dit dans ton domaine, de tous les succès présents, de tous les succès passés. Comprends pourquoi les gens rient, pourquoi les gens pleurent, ce qui les effraie, ce qui les captive.

On dit souvent, pour s'en consoler sans doute, qu'on apprend plus de ses échecs que de ses succès.

Peut-être...

Mais une chose que tu dois faire absolument, c'est d'avoir la curiosité du succès des autres.

Comprends-moi bien.

Je ne parle pas d'une curiosité maladive, jalouse et vaine.

Non, je parle d'une curiosité intelligente.

Deviens comme Sherlock Holmes, sors ta loupe, analyse le succès des autres, comprends-le, découvres-en les principes.

Ne laisse jamais s'endormir cette curiosité !

Deviens celui qui veut tout savoir, qui se pose toutes les questions, qui cherche toutes les réponses !

Peut-être dit-on que le succès d'un roman est inexplicable, imprévisible, que comme au dit au sujet des films à Hollywood : *"Nobody knows anything about anything."* Personne ne sait rien de quoi que ce soit...

Mais est-ce bien vrai ?

Si c'était vrai, comment se fait-il que certains auteurs connaissent constamment plus de succès que d'autres ?

— Le talent, papa...

— Oui, mais justement, ne crois-tu pas que le talent s'apprend, se développe ?

— Je n'en suis pas sûr.

— Il faut que tu t'en convainques au contraire. Le grand Socrate a dit : *"L'homme est perfectible."* Le talent l'est aussi, car comme on dit, le style, c'est l'homme. Si tu te perfectionnes comme être, tu te perfectionnes automatiquement comme romancier. Comme disait le grand Picasso. "Un artiste n'est pas grand par ce qu'il fait mais par ce qu'il est!"

Crois donc à l'existence, en chaque domaine, de principes de succès.

Recherche-les sans relâche!

Fais-en un système, TA méthode!

Presque tous ceux qui ont eu un grand succès ont eu une méthode.

Jeune, j'admirais énormément J.W. Marriot, le fondateur de la chaîne du même nom qui, parti de rien, possède maintenant (ou plutôt ses héritiers) près de 3000 hôtels à travers le monde. Écoute la surprenante confidence du fils de ce grand de l'hôtellerie: «On nous taquine souvent au sujet de notre passion pour la " façon Marriot" de faire les choses. Si vous travaillez dans le secteur de l'hôtellerie, il se peut que vous ayez déjà pris connaissance de nos guides encyclopédiques sur les méthodes de travail, et de celui qui est probablement le plus infâme de tous: un guide expliquant en 66 étapes distinctes la façon de nettoyer les chambres d'hôtel en moins d'une demi-heure. «Peut-être sommes-nous un peu fanatiques au sujet de la façon dont les choses doivent être faites, mais pour nous, l'idée d'avoir des méthodes et des procédés pour tout est très naturelle et logique: si vous voulez obtenir un résultat constant, vous devez déterminer la façon d'y arriver, préciser cette façon par écrit, la mettre en application et continuer à l'améliorer jusqu'à ce qu'il n'y ait plus rien à améliorer.»

Les 66 étapes distinctes de nettoyer une chambre!

Étonnant, non?

Ne faut-il pas avoir un esprit un peu fou pour en arriver là?

Ne faut-il pas avoir eu une curiosité digne de Léonard de Vinci au sujet de la meilleure méthode de faire une chose apparemment fort simple et à la portée de tous : nettoyer une chambre !

Moi je trouve cette folie admirable et nul doute qu'elle n'est pas étrangère au succès de la grande chaîne hôtelière.

On l'a dit souvent, mais je me permets de te le répéter, cher fils : *God dwells in details.*

Dieu réside dans les détails...

Normal, me diras-tu, puisqu'Il est partout !

Mais on oublie souvent qu'Il est dans les détails... comme d'ailleurs le succès !

Pourquoi la plupart des gens ne portent-ils pas attention à ces précieux détails ?

Ils ne les voient même pas, ou s'ils les voient, ils jugent que ce sont seulement des... détails, pas assez intéressants.

C'est qu'ils ne sont pas assez... intéressés !

Ce serait trop leur demander !

C'est trop contraire à leurs vieilles habitudes, qui leur sont chères, mais ne les ont jamais rendus riches : ne devraient-ils pas les remettre en doute ?...

Sois différent !

Distingue-toi !

Le grand Victor Hugo a dit : « Un lion, s'il copie, est un singe ! »

Alors, sois original, mon fils, sois original !

Mais il y a plusieurs sortes d'originalité, et quelle est la première originalité ?

C'est d'être toi-même !

Sois original, va au bout de tes ambitions !

Sois original, ne laisse personne te décourager !

Suis la belle prescription de Descartes : fais table rase de toutes les idées reçues de ton époque...

Fais-le dans le métier que tu as choisi, refais ta propre éducation, c'est celle qui est la plus valable, celle qu'on se donne, comme un libre penseur !

Picasso a dit : « On met longtemps à devenir jeune. »

Applique-toi donc à retrouver la jeunesse, car là est la véritable originalité...

La jeunesse, celle que tu cherches à retrouver, c'est de poser sur les choses le regard nouveau de l'enfant, c'est de plonger parce qu'on ne sait pas, pas plus qu'un merveilleux enfant, qu'on peut échouer !

C'est de dire oui à la Vie, un grand OUI, parce qu'on ne connaît même pas la définition du mot échec, ni même celle du mot succès – et cette ignorance est magnifique !

La jeunesse véritable, c'est, à n'importe quel âge, malgré ses échecs passés, malgré ses dettes, malgré ses insuffisances, malgré tout ce que dit tout le monde pour te décourager, pour te raisonner, se lancer quand même, plonger allégrement vers l'inconnu, faire le premier pas, le plus important, comme en amour le premier baiser, et ne jamais regarder en arrière, ne jamais s'arrêter !

Oui, redeviens jeune, retrouve la curiosité de l'enfant pour qui tout est nouveau, tout est mystérieux, et non seulement tu réussiras, mon fils, mais, et c'est plus important encore : tu t'amuseras !

Sois opportuniste aussi !

Si tu veux réussir, apprends à saisir les occasions, à les voir, bien sûr, quand elles se présentent, mais encore mieux à les provoquer, à les attirer irrésistiblement par ton obsession magnifique et par la clarté de ton ambition !

Sois clairvoyant, sois subtil, car les occasions se présentent souvent sous un déguisement que tu ne t'attendais pas, comme pour te tester, comme pour éprouver ta sagacité.

Vois ce que les autres ne voient pas, qui est pourtant devant leurs yeux, et que toi tu vois, parce que tu... regardes ! Parce que ton esprit est en éveil et que tu cherches constamment des occasions et que tu es persuadé qu'elles existent, en abondance, en quantité illimitée, à la vérité ! Leur pauvreté est seulement dans ton œil.

Développe ta perspicacité, ton sixième sens, mais aussi, n'oublie pas le principal : AGIS !

Et surtout, agis avec célérité !

Si tu veux un succès foudroyant, frappe comme la foudre !

Une opportunité est un message écrit sur le sable de la plage.

Si tu attends trop, si tu ne fonces pas tout de suite, le vent, les vagues l'effacent, et toi, tu restes pauvre ou un autre s'enrichit à ta place.

À la fin de cette exaltante conversation – et de cette glorieuse ronde entre le père et le fils –, vint une obligation moins glorieuse : celle de vider le casier de Charles Rainier.

D'ailleurs, au moment où ils arrivaient au vestiaire, un employé achevait de retirer, sur la porte de son casier, la plaquette qui portait son nom, la jetait dans une petite corbeille de métal.

Lorsque l'employé se fut éloigné, Charles fit observer, plus affecté qu'il ne voulait bien le montrer.

« Les gens ne perdent pas de temps !

– C'est la vie, se contenta de dire son père. »

Charles récupéra la petite plaque, la mit dans sa poche sous le regard attendri de son père. À l'entrée du vestiaire, les deux hommes avaient pris des sacs de plastique, pour vider le casier...

La case de Charles se trouvait juste à côté de celle de son père... Il se changea, et son père aussi, qui enfila des vêtements de ville.

Puis la triste opération de vider le casier, qui se fit assez rapidement. Pour les souliers, comme ils portaient la même pointure, son père les lui offrit, et il les accepta, bien sûr, de même que tout son linge, de vieilles cartes de pointage, des gants, quelques tubes de crème...

Une clé aussi, de toute évidence la clé d'un coffret de sécurité...

Charles la vit, dit à son père.

« Il y a une clé.

— Je sais.

— Est-ce que je... est-ce qu'elle est bonne ou est-ce que je la jette ?

— Tu la gardes, on va à la banque...

— Ah ! bon, laissa tomber Charles en soulevant un sourcil intrigué. »

Il mit la clé dans sa poche, puis, sa tâche étant complétée, il éprouva une immense tristesse et pensa : *« Ma vie sans mon père sera vide comme son casier. »*

Vide.

À tout jamais.

« Ne sois pas triste, dit son père qui lisait dans ses pensées avec une facilité déconcertante, je suis encore là...

— Je sais, mais demain tu partiras.

— Alors, ne faisons pas la même erreur que font la plupart des gens qui pensent qu'il leur reste tout le temps du monde pour vivre leurs rêves et s'occuper de ceux qu'ils aiment. »

Juste avant de quitter le vestiaire, Pierre Rainier se regarda dans une glace, esquissa un sourire, ajusta ses verres fumés, et dit :

« Je suis mieux que de mon vivant où ma laideur était légendaire.

— Ne dis pas ça, papa, ce sont des jaloux qui disaient ça, moi je t'ai toujours trouvé beau...

— C'est gentil mais c'est vrai que, jeune, j'avais un visage que *only a mother could love* (seulement une mère pouvait aimer), plaisanta-t-il en anglais, et même, elle ne l'aimait même pas, ma mère... Mais tiens, ça me fait penser que je devrais te parler d'un des plus grands ingrédients du succès, qui, en tout cas, a été déterminant dans le mien...

11

Mets à profit tes handicaps

Jeune, j'ai beaucoup souffert de ma laideur.

Me regarder dans un miroir était une épreuve. Aussi les évitais-je systématiquement, et j'avais appris à faire ma toilette sans leur cruel reflet.

Mais ce qui était pire que le miroir, c'était le regard des autres, de ma mère, de mes camarades !

Je croyais que ça s'atténuerait avec les années, qu'on s'habituerait à ce qu'on appelait ma laideur. Mais même passé cinquante ans, alors qu'on ne devrait plus se soucier de cette stupidité qu'est la beauté – ou son absence – j'entendais les gens murmurer dans mon dos : « Il est vraiment laid, il a beau avoir des millions, comment fait-elle ? »

On parlait de ta mère, puis bientôt des femmes – souvent jeunes et jolies, comme tu as pu le voir au salon funéraire – avec qui j'ai tenté de m'étourdir après son départ prématuré.

Et ceux que je n'entendais pas murmurer dans mon dos, je devinais leur pensée, car j'ai toujours su deviner la pensée des gens – je crois que c'est un bénéfice secret de la laideur ! Cette clairvoyance fut d'ailleurs une des clés de mon succès.

Oui, car lire les gens, savoir ce qu'ils pensent, ce qu'ils valent aussi, s'ils sont des hypocrites, des faibles, des malchanceux, des paresseux, des profiteurs, ou au contraire des gens de valeur, m'a permis de toujours bien m'entourer.

Un jour, en lisant la biographie du grand armateur grec Aristote Onassis qui démarra avec 350 $ empruntés à un oncle, et qui n'était pas, lui non plus, très favorisé par la nature, je suis tombé sur le passage suivant. «Regardez-moi. Je n'ai rien du dieu grec, mais je n'ai pas perdu mon temps à pleurer sur les aspects disgracieux de ma personne. Souvenez-vous que nul n'est aussi laid qu'il le croit.»

Quand j'ai lu ça, ça m'a encouragé.

Mais étais-je vraiment laid?

C'est peut-être subjectif, car comme disait Voltaire, le beau pour le crapaud, c'est sa «crapaude».

D'ailleurs, faisons les précisions suivantes.

L'absence de beauté est une chose, d'ailleurs banale.

Elle passe en général inaperçue, en tout cas ne fait pas tourner les têtes sinon on aurait le torticolis à la fin de la journée et toute promenade dans la rue deviendrait un exercice périlleux!

Donc, l'absence de beauté n'est pas la laideur, qui, elle, est notoire, qu'on remarque, dont on parle, qu'on montre du doigt: elle est monstrueuse, à la limite, le mot monstre comme chacun sait, venant du mot: montrer.

Alors, vraiment laid ton pauvre père millionnaire?

Chose certaine, je l'étais en comparaison de mon frère aîné, un véritable Apollon, à telle enseigne qu'on aurait pu douter que nous avions le même père et cette certitude était douloureuse et me suffisait amplement à prouver ma laideur. D'autant – et c'est le pire – que ma mère ne se cacha jamais pour montrer sa préférence à mon frère, qui, à la maison, avait droit à toutes ses faveurs, à toutes ses bontés.

Je le lui ai longtemps reproché.

Mais maintenant, d'une certaine manière, je lui en suis reconnaissant.

Étonnant, non?

Car aurais-je tant cherché à m'illustrer — de manière un peu obsessive, maladive, je le vois maintenant dans la belle lumière qui éclaire toute ma vie — si j'avais été, comme mon frère, l'objet de toute sa tendresse?

En fait, ne dois-je pas tout mon succès à ma laideur — et à la préférence de ma mère pour mon frère?

Serais-je prêt à changer de place avec mon frère, si je le pouvais, si je pouvais tout recommencer?

Non, car dans l'ensemble, j'ai eu une vie bien plus fascinante que la sienne, endormi qu'il était par l'amour originel de notre mère. Bellâtre, ayant toujours pu avoir toutes les femmes, il n'a jamais rien fait de sa vie, a toujours végété dans un métier qu'il détestait et, je sais, a toujours été jaloux de mon succès. Curieuse ironie de la vie!

Je m'empresse d'ajouter que la laideur n'est pas le garant du succès, ni la beauté un empêchement à la réussite. Il y a plein d'hommes laids sans succès, et Léonard de Vinci, Platon, Liszt, pour ne nommer qu'eux, étaient nantis d'une grande beauté, et ils ont assez bien tiré leur épingle du jeu, non?

Je ris de tout cela maintenant, je chéris ma laideur, réelle ou pas, elle fut ma bonne amie, mon alliée fidèle, puisqu'elle ne m'a pas quitté jusqu'à ma mort. (Je ne puis en dire autant de certains de mes amis!)

Elle fut mon passeport vers le succès. Aux douanes de la fortune lorsque le douanier m'a demandé: «Êtes-vous laid?»

J'ai dit oui, sans hésiter, il ne m'a pas demandé mes papiers, a dit vous pouvez passer !

Le secret, je crois, est de faire flèche de tout bois.

On t'a donné des citrons, fais-en de la limonade !

Ne baisse jamais les bras !

Vois un avantage en toute chose, en toute situation, en toute adversité !

Vois que, dans le passé, des hommes remarquables ont fait des choses remarquables même s'ils souffraient de handicaps remarquables !

Pense au grand Beethoven, mon musicien préféré !

Peux-tu imaginer pire handicap pour un musicien, et de génie de surcroît, que la surdité qui le frappa si cruellement dans la force de l'âge ?

Et pourtant, écoute les chefs-d'œuvre qu'il put quand même composer malgré son infirmité !

Garde constamment à l'esprit cette belle pensée de Napoleon Hill : « *Toute perte, tout malheur, et tout échec portent en eux la semence d'un privilège équivalent ou encore plus grand.* »

C'est tiré de son livre *Réfléchissez et devenez riche* que, soit dit en passant, tu devrais absolument lire, car il est utile dans tous les domaines, et peut-être encore plus dans un métier aussi incertain que celui de romancier.

Oui, garde à l'esprit cette pensée qui consiste à voir en toute chose, même en apparence négative, une occasion de succès, ça te donnera le bon pli, ça te redonnera espoir quand s'acharne la malchance, et s'accumulent les échecs, que ton espoir s'amenuise et que tu as envie de tout lâcher, que tu ne comprends plus rien, que tout semble t'échapper, – quelle frustration ! – comme du sable entre tes doigts : « *Toute perte, tout malheur et tout échec portent en eux la semence d'un privilège équivalent ou encore plus grand.* »

Que tout échec, tout handicap, toute déception que tu puisses avoir soient le levain de ton succès !

Maintenant, si tu permets, cher fils, j'aimerais faire un bref post-scriptum qui va éclairer ce que je viens de te dire, il me semble. Une nuit, peu de temps avant ma mort, j'ai fait un rêve curieux. Je t'en parle parce qu'il me revient en ce moment précis, ça ne doit pas être un hasard. J'étais allongé dans un tombeau, mais je n'étais pas nerveux et surtout, bien entendu, je n'étais pas mort. D'ailleurs, si tu y penses bien, les mots JE SUIS et MORT, s'ils ont un sens grammaticalement, n'en ont aucun « existentiellement ». C'est comme une contradiction dans les termes, une impossibilité logique, car si le « je » est animé et pense, comment peut-il être mort ? Bon *anyway*, je poursuis...

Il y avait autour de moi des hommes très grands et beaux, des hommes magnifiques, et à un moment, j'ai compris qu'il s'agissait de maîtres spirituels. L'un d'eux me disait d'une voix ferme et grave, mais non dépourvue de douceur, pendant que les autres hommes dodelinaient doucement de la tête en signe d'acquiescement : « Nous te faisons souffrir, nous te donnons de fortes doses de déceptions et de contrariétés, parce que tu peux le prendre, et que tu as demandé d'évoluer plus rapidement. C'est notre travail de travailler sur toi, c'est l'amour de Dieu pour toi que nous exprimons. Comprends ces choses, et ne te décourage pas. Au contraire, réjouis-toi car grâce à ce travail, grâce à ces épreuves, tu acquerras des mérites et aussi des qualités intérieures. Te viendra alors un bonheur infiniment plus grand que le bonheur que tu n'as jamais connu... »

Voilà, cher fils. J'ai pensé que ce rêve pourrait t'être de quelque utilité... Médite-le, dans les moments difficiles de ta vie, et il y en aura forcément.

Maintenant, je voudrais, si tu veux, te parler des choses de la vie que tu ne devrais jamais oublier ni jamais perdre de vue, et sans lesquelles tout succès est dépourvu de sens...

12

N'oublie jamais l'essentiel

$\mathcal{D}$ans un manuscrit de Léonard de Vinci écrit en 1518, l'année avant sa mort, sur une page contenant des diagrammes, un texte s'interrompt brusquement par un «et cetera» suivi d'une note étonnante : «*perche la minesstra si fredda*», ce qui veut dire : parce que la soupe devient froide...

Tu vois, cher fils, même le grand homme, au beau milieu de ses réflexions les plus profondes, n'oubliait pas les simples réalités de la vie...

Toi non plus, mon fils, ne les oublie pas, malgré ton ambition, malgré tes projets ! Oui, n'oublie jamais l'essentiel !

Et l'essentiel... je pourrais te le dire de manière sophistiquée et compliquée, mais ça se résume à ça : l'essentiel, ce sont les gens que tu aimes, ce sont les gens qui t'aiment...

Et tu verras avec les années, malgré tout le succès que tu pourras avoir ou peut-être à cause de lui, ils sont peu nombreux, peu nombreux, mon fils...

N'oublie pas non plus que sans amour, je veux dire sans une compagne à tes côtés, la vie est bien vide...

Ne fais pas l'erreur que j'ai faite avec ta mère. Je me suis laissé étourdir par le succès, par la gloire, par toutes ces femmes qui se sont mises à tourner autour de moi, une fois ma fortune faite. Et ta mère, dans son infinie délicatesse, s'est laissée mourir de chagrin, pour me rendre ma liberté, car elle sentait que son amour me pesait.

Je ne me suis jamais remis de sa perte, du vide que sa mort a laissé dans mon existence.

J'ai réussi dans la vie mais, comme on dit banalement, mais c'est vrai... je n'ai pas réussi ma vie !

Car j'ai déçu la seule femme que je n'aie jamais aimée, la seule femme qui ne m'ait jamais aimé pour ce que j'étais vraiment.

Mais il faut croire que, de l'au-delà, elle a vu mes larmes, elle a entendu les prières que, pendant des années, je lui ai adressées dans ma glorieuse solitude.

Car on m'a appris hier soir qu'elle m'attendait, oui, elle m'attendait, et je la reverrai une fois que je repartirai par le dôme, demain soir...

Joie extrême de Charles qui apprenait que sa mère, dont la perte l'avait tant chagriné, existait encore, dans l'au-delà, mais en même temps, tristesse, car son père venait de lui rappeler qu'il disparaîtrait le lendemain, et cette fois-ci pour l'éternité !

« Ne fais pas la même erreur avec Clara, le pria son père. Je sais qu'elle t'aime vraiment. Épouse-la. »

Charles pensa que ce serait bien difficile de suivre le conseil de son père, car Clara l'avait quitté, et cette fois-ci pour de bon, de toute évidence.

« Oui, ne fais pas la même erreur que moi avec la femme qui t'aime. Car sinon tu risques que, dans ta vie, comme le disait le grand Léonard de Vinci (et il dit ces derniers mots dans son italien exquis) : *la minesstra si fredda*...

13

*Où le héros reçoit
un chèque inattendu*

Le lendemain, jour de l'enterrement, Charles avait donné rendez-vous à son père à son appartement. Comme Clara s'y trouvait, qui avait tenu sa promesse d'accompagner Charles pour l'enterrement, Pierre Rainier crut que rien n'était changé entre eux, qu'ils ne s'étaient jamais séparés.

Ou peut-être fit-il semblant, pour ménager son fils...

Car dans son nouvel état, il devinait bien des choses, lisait dans bien des esprits.

Car comment expliquer autrement la manière insistante dont il serra la main de la magnifique jeune femme?

Et lorsqu'il lui dit : «Ça me fait vraiment plaisir de vous revoir, vraiment plaisir, Clara», on voyait bien que ce n'était pas juste une formule de politesse, juste des paroles creuses, ça venait du fond du cœur...

Clara, elle, tremblait, stupéfaite.

Bien sûr, Charles qui, elle devait bien l'admettre, n'avait pas déliré, lui avait annoncé que son père était revenu des morts, mais quand même, de le voir là, en chair et en os, non, je veux dire, si ressemblant, dans son corps de lumière, et plus beau cependant, elle l'avait noté évidemment et si réel et si... oui, il lui fallait bien l'admettre, si... vivant !

Il faut dire qu'il lui avait fallu quelques instants pour le reconnaître, même s'il portait des vêtements familiers, des vêtements qu'elle avait déjà vus : un élégant costume de fine laine, pas noir, comme les circonstances le dictaient, même pas sombre mais fort clair, presque blanc. Et Clara ne put s'empêcher de penser que, forcément, il ne passerait pas inaperçu à l'enterrement, parmi tous les gens de noir vêtus, et que, d'ailleurs c'était un peu singulier qu'un homme pût assister à son propre enterrement...

Charles aussi avait éprouvé une certaine stupéfaction (mais naturellement moindre que celle de Clara) en revoyant son père. Il était encore plus beau, avait l'air encore plus jeune, plus resplendissant que la veille. C'était même comme si les traces de sa laideur terrestre, dont il lui avait si sincèrement, si lucidement expliqué le mystérieux rôle, avaient presque complètement disparu. Il était devenu extrêmement beau, et ses yeux bleus, moqueurs pendant sa vie, irradiaient comme deux soleils, oui, deux soleils qui vous réchauffaient le cœur, qui vous éclairaient l'âme, et semblaient vous dire, vous crier, proclamer haut et fort : « Ne te prends pas trop au sérieux, rien n'est grave, rien n'est important, amuse-toi, la Vie est un jeu ! »

Enfin Charles et Clara, convenablement vêtus de noir, escortèrent Pierre Rainier, magnifique en sa blanche élégance, et sortirent de l'appartement pour monter dans la limousine où le fidèle Eugène les attendait.

« À la banque, Eugène ! lança Pierre Rainier.

— Oui, patron !

— Mets le *Concerto d'Aranjuez* !

— Oui, patron ! fit le chauffeur avec son enthousiasme habituel. Et soit dit en passant, patron, mes enfants vous font dire merci pour votre don. Ils vous sont infiniment reconnaissants même si je leur ai dit que vous m'aviez donné seulement 25 000 $...»

Pierre Rainier éclata de son rire sonore qui, de son vivant, avait été une de ses marques de commerce, avec son utile laideur maintenant en allée comme toute épreuve, comme tout obstacle s'en va, lorsque sa secrète tâche est accomplie.

«C'est sage, c'est sage, il ne faut pas tout dire et tout donner à ses enfants.»

En disant cela il se tourna vers son fils et esquissa un sourire entendu tandis que ce dernier faisait une moue plus ou moins convaincue.

Et comme les célèbres notes de guitare du concerto emplissaient la limousine, Pierre Rainier, égal à lui-même, exigea :

«Plus fort, Eugène, plus fort! On n'entend rien!»

Ce qui bien entendu était faux!

Et tandis qu'Eugène se pliait complaisamment à cette demande si coutumière, Pierre Rainier ouvrait la fenêtre, et, fermant les yeux, se mettait, agitant les deux bras au-dessus de sa tête, à diriger l'orchestre qui, à ce moment, entamait son mystérieux et beau dialogue avec la guitare...

Clara, qui se trouvait à ses côtés, le regardait, étonnée, un peu intimidée aussi. Quel homme singulier!

Charles, lui, pensait, non sans tristesse : *« Comme mon père est original, c'est le plus beau fou que je n'ai jamais rencontré! Et dire que je ne l'ai jamais connu, au fond, et que, dans douze heures, il ne sera plus, il sera mort, enfin pas mort, je le comprends maintenant, mais reparti, cette fois-ci à tout jamais, car ma faveur prendra fin ce soir à vingt-deux heures... »*

Et les larmes lui vinrent aux yeux.

Clara, qui, dans son embarras, s'était tournée vers lui comme pour lui dire : il est fou, ton père, vit ses larmes, et sans trop savoir à quoi au juste attribuer sa tristesse, à quel départ, (le sien ou celui, imminent, de son père) lui prit la main et la serra.

Dans les toutes premières pages de la *Duchesse de Langeais,* Balzac fait cette réflexion subtile et vraie : «Il n'y a point de petits événements pour le cœur ; il grandit tout ; il met dans les mêmes balances la chute d'un empire de quatorze ans et la chute d'un gant de femme, et presque toujours le gant y pèse plus que l'empire. »

Pour Charles, ce modeste serrement de main de Clara (peu importe sa cause) pesa plus que l'univers tout entier, oui, dans la balance de son cœur pesa plus que les millions dont il avait été dépossédé.

Et, dans son émotion, il se demandait ce que tout mari, en tout cas tout conjoint abandonné se serait demandé en semblable situation : Clara a-t-elle pris ma main par simple pitié, par sympathie d'un être humain envers un autre être humain ou m'avoue-t-elle muettement, mais c'est pareil, ma chérie dont je suis fou, m'avoue-t-elle qu'elle s'est ravisée, qu'elle a changé enfin d'idée, qu'elle veut revenir, que, à la vérité, elle est déjà revenue puisqu'elle est là dans cette limousine près de moi et tient ma main dans sa main, sa main à laquelle je m'accroche comme à ma vie !

Et son cœur se mit à battre comme celui d'un gamin, comme, il se le rappela alors, lorsqu'il avait pour la première fois de sa vie, à onze ans, serré la main de Raymonde Houde, sa première flamme. Et tout de suite l'habita cette idée, comme une conséquence de cette nouvelle expérience : c'est la femme de ma vie, il faut qu'on se marie !

Il lui sourit, et il y avait dans ce sourire tant de choses, mais inutile de vous les dire, cher lecteur, vous me comprenez, n'est-ce pas, vous savez toutes les nuances qu'un homme amoureux peut mettre dans un sourire, non?

La banque était toute proche, et quand la limousine s'immobilisa devant elle, le *Concerto d'Aranjuez* jouait toujours.

Sur le trottoir, Pierre Rainier aperçut un des premiers pissenlits du printemps, le cueillit et l'offrit à Clara comme si c'était une rose trémière, vraiment, et l'offrit à Clara comme un jeune amoureux transi. Puis il lui causa un second étonnement (ou un troisième, pour mieux dire, si on tient compte de celui de son apparition!) en lui demandant:

«M'accorderiez-vous cette danse?

— Danser? Vous voulez danser, monsieur Rainier?»

Et pour elle-même, elle ajouta: là, sur le trottoir, à dix heures du matin, au son de cette musique peut-être grandiose, mais qui était tout sauf une musique de danse, et de surcroît avec un mort...

Enfin un mort qui avait l'air du plus vivant des hommes, mais quand même...

Et elle se tourna vers Charles, comme pour lui signifier sa surprise ou pour chercher son approbation. Ce dernier se contenta de soulever les épaules, de plisser les lèvres avec l'air de dire: «Ne le sais-tu pas depuis longtemps que mon père est un excentrique?»

Clara commença par accepter le pissenlit dont le tendre jaune printanier tranchait avec son élégante robe noire.

Toute sa vie, disciple de la diplomatie des petits pas, comme il s'en était ouvert abondamment à son fils lors de leurs longues conversations, Pierre Rainier vit là un petit gain tout plein de promesses, tendit aussitôt sa main gauche ouverte en une classique invite de danseur et dit ce qu'il disait souvent, à l'italienne :

« *Alora ?* »

Clara avait déjà dansé, et plus d'une fois, avec Pierre Rainier qui était un danseur remarquable, aussi talentueux qu'infatigable, ce qui n'avait pas été étranger à ses succès féminins, car comme chacun sait, la plupart des femmes aiment danser, les hommes, pas, et celui qui danse a forcément un pas – ou deux – d'avance sur les autres, si j'ose dire...

Enfin elle accepta, et Pierre Rainier se mit à la faire tournoyer sur le trottoir devant un Charles de plus en plus ému, et devant des passants, des clients de la banque aussi, qui sourcillaient, souriaient, s'étonnaient de cette scène.

Un jeune couple sortit de la banque en se disputant visiblement. Lorsque la femme, fort jolie, aperçut Clara et Pierre Rainier, qui tourbillonnaient avec élégance sur ce parquet de danse improvisé, elle fut si émue qu'elle s'arrêta tout net et se mit à pleurer, comme si d'un seul coup elle réalisait à quel point, en comparaison, son copain n'était pas romantique, mais alors là pas du tout ; lui qui disait que le romantisme était juste un caprice de femme, et que seuls les hommes roses y cédaient, ou les autres par simple intérêt d'emmener une femme au lit.

Mais lui aussi, malgré sa supposée carapace, ne fut pas insensible à ce spectacle, si inattendu, si original. Et même, dans une étonnante prise de conscience, comme saint Paul sur le chemin de Damas frappé par la folie de sa persécution de Jésus, il se tourna vers sa compagne, les larmes aux yeux.

Elle ne comprit pas tout de suite ce qui lui arrivait : c'était la première fois de sa vie qu'elle le voyait pleurer, sauf une fois, il est vrai, de rage en vérité, quand le Canadien de Montréal s'était fait éliminer trop vite en séries éliminatoires !

Mais quand il s'agenouilla devant elle, elle comprit, sans comprendre pourquoi, qu'il était devenu l'homme qu'elle avait toujours rêvé qu'il soit, et pour cause, car il lui dit : « J'aurais dû te le demander avant, je suis fou, est-ce que tu veux devenir ma femme ? »

Elle répondit oui, pas juste oui, d'ailleurs, mais oui, oui, oui ! Trois fois oui, comme devant les plus beaux projets de notre vie, et y en a-t-il de plus beau que celui de la vie à deux ?

L'homme s'était levé (sa compagne l'y avait forcé par sa main tremblante et folle de joie) embrassait la future mariée, qui le repoussait alors et lui demandait comme pour vérifier qu'elle ne rêvait pas, comme pour comprendre sa bonne fortune :

« Pourquoi as-tu changé d'idée comme ça ?

– Je... je ne sais pas... »

Et alors, il leva un doigt timide en direction du couple formé de Clara et Pierre Rainier, et avoua :

« À cause de lui ! »

Et Charles, qui avait vu la scène, et compris ce qui venait de se passer, pensa, en hochant la tête, incrédule et admiratif : *« C'est incroyable l'effet que mon père, même mort, continue d'avoir sur les gens ! »*

La musique s'arrêta. Pierre Rainier remercia Clara, dit à Charles :

« Allons-y... »

Et il prit son fils par le bras, l'entraîna vers la banque.

« Je vous attends ici », préféra dire Clara, qui les regarda s'éloigner, si beaux ensemble, le père et le fils, bras dessus bras dessous comme de véritables amoureux, puis elle contempla avec nostalgie son modeste pissenlit.

Lorsque Charles passa près du couple qui se câlinait, ému, il ne put s'empêcher de se dire : « *Ils ont de la chance, eux, ils vont se marier, tandis que Clara et moi, c'est fini, c'est fini !* » Car malgré le serrement de sa main dans la limousine, c'est la sinistre inspiration qui venait de l'envahir.

À la banque, à l'instigation de son père, Charles demanda à un employé de les conduire vers la chambre forte où se trouvaient les coffrets de sûreté. Là il ouvrit (son père le lui ayant soufflé), avec la clé trouvée dans le casier au golf, celui portant le numéro 63. Et, dans un étonnement qui dura seulement quelques secondes, car son père lui avait réservé tant de surprises depuis les derniers jours, il trouva une enveloppe à son nom.

« Je l'ouvre ? demanda-t-il un peu stupidement à son père après avoir refermé le coffret et être ressorti de la chambre forte.

– Non, tu la jettes aux poubelles, idiot ! »

Dévoré d'une bien compréhensible curiosité, il l'ouvrit enfin. Elle ne contenait pas de lettre sauf si vous voulez appeler une lettre – et dans bien des cas c'en est une ! – ce simple petit bout de papier émis par une banque, portant un montant, votre nom et celui du signataire, ce qu'on appelle communément un chèque.

Oui, la lettre contenait un simple chèque de la part de Pierre Rainier à Charles Rainier.

Oui, un chèque, banal morceau de papier, mais le montant qui y était inscrit ne l'était pas, il était pharamineux à la vérité, et surtout tout à fait inattendu : cinquante millions de dollars !

Oui, cinquante millions de dollars !

Charles en eut le souffle coupé.

Son père devança ses commentaires, ses remerciements...

« C'est moins que ce que j'ai laissé à ton frère et à ta sœur, mais, c'est *cash* et surtout ça risque de valoir beaucoup plus que ce que je leur ai laissé si je me fie à la manière dont ils avaient commencé à gérer la compagnie de mon vivant, alors après ma mort, je ne me fais pas d'illusion... Mais ce n'est pas ton problème ni le mien maintenant, je suis déjà passé à autre chose, plus vite que j'aurais cru d'ailleurs...

— Mais papa, tu es... sérieux ?

— Un chèque, c'est toujours sérieux, mon fils, c'est les gens qui n'en font pas qui ne le sont pas. À ton âge, tu devrais avoir appris ça, non ? »

Pourtant, Charles ne le croyait pas encore. Son père se moquait de lui. Le chèque n'était pas bon. Il n'y avait pas de fond dans le compte duquel il était tiré.

Cinquante millions...

Quel impact formidable ça aurait dans sa vie !

Ça voulait dire qu'il pourrait du jour au lendemain quitter son emploi de professeur, se mettre tranquillement à son roman, sans se soucier du lendemain : être libre en somme de vivre tous ses rêves...

Cinquante millions...

Il se répétait mentalement le chiffre comme un mantra, comme une formule magique...

« Tu me donnes vraiment cinquante millions de dollars ? demanda Charles en se tournant vers son père.

— Non... », répliqua ce dernier le plus sérieusement du monde.

Mais Charles savait que son père était un pince-sans-rire, qu'il adorait faire des gags et ne s'en était jamais privé de toute sa vie.

« Mais je ne... je ne suis pas sûr de te suivre...

— Ce chèque, sais-tu ce que je veux que tu fasses avec?

— Euh, non, mais j'ai bien l'impression que je ne vais pas tarder à l'apprendre...

— Eh bien voici. Ce chèque, je veux que tu l'encaisses seulement si tu ne crois pas tout ce que je viens de te dire.

— Mais papa... je ne te suis pas...

— C'est simple, pourtant, ce chèque, je veux que tu l'encaisses seulement si je ne t'ai pas convaincu.

— Si tu ne m'as pas convaincu de quoi?

— Si je ne t'ai pas convaincu que si je t'ai déshérité, c'était pour ton bien, que tout ce que je viens de t'enseigner vaut plus que tout l'argent du monde, et que ça va te permettre de devenir un grand romancier, de devenir très riche, mais surtout, de devenir ce que tu peux devenir, de réaliser ton plein potentiel comme être humain au lieu de le laisser dormir, au lieu de l'enterrer...»

Il semblait bien à Charles qu'il y avait une attrape, que c'était trop beau pour être vrai!

«Mais papa, je... tu me places devant un drôle de choix.

— La vie nous place toujours devant de drôles de choix, comme tu dis, c'est juste que tu ne t'es encore rendu compte de rien.»

Charles était débiné, confus.

«Mais je ne pourrais pas faire les deux, je veux dire garder le chèque ET démarrer ma carrière?

— Non, rappelle-toi ce que je t'ai dit au début, il faut être affamé pour réussir. Si tu gardes les 50 millions, tu ne seras pas affamé... Et en plus, tu n'auras pas le mérite et la joie profonde, crois-moi, de l'avoir gagné toi-même cet argent, tu seras toute ta vie privé de cette expérience unique et merveilleuse, jamais tu ne pourras dire: "Je l'ai fait moi-même, personne ne m'a aidé, je suis parti de rien, comme j'ai fait, moi, comme j'ai fait et c'est la plus grande richesse, la plus grande satisfaction, de le faire soi-même..."

— Mais je...

— Je sais que j'ai raison...»

Charles ne protesta pas.

Malgré sa contrariété, malgré sa déception, il savait que son père avait raison.

D'ailleurs, son père avait toujours raison.

Non seulement c'était son sport préféré, mais c'était ce qui lui avait permis, entre autres talents, de construire son immense fortune.

« Et si je décide de suivre ton conseil, je fais quoi avec ce chèque ? Je le déchire ?

— Mais non, les cinquante millions resteraient dans le compte et seraient perdus.

— *Alora* ? fit Charles en imitant son père.

— *Alora*, fit le père avec un sourire amusé, je veux que tu l'endosses et le remettes à ma fondation préférée, celle des enfants malades de l'hôpital Sainte-Justine de Montréal.

— Je ne peux pas en garder une petite partie, quelques malheureux millions, et donner le reste à la Fondation ?»

Son père esquissa un sourire, lui tapota affectueusement la joue :

« Non, c'est tout ou rien. Et si ça peut t'aider à prendre ta décision, n'oublie pas que plus tu donnes, plus tu reçois, mon fils...»

Charles ne dit rien. Sans doute admettait-il la noblesse de ce beau principe, mais pour le moment, ce à quoi il pensait surtout, c'est à tout ce qu'il pourrait faire avec ces cinquante millions...

Démissionner, déménager dans une belle grande maison, voyager, et surtout avoir tout son temps pour écrire son premier roman sans se soucier du lendemain...

Être libre, en somme, le *summum bonum*, comme on disait en jargon philosophique.

Mais comme son père réclamait de toute évidence une réponse, une décision, il lui dit enfin :

« Hum, je vois, je... je sais que tu as raison mais... est-ce que je peux prendre un peu de temps pour décider ?

— Tu as six mois ?

— Six mois ?

— Oui, parce que passé ce délai, le chèque ne sera plus bon... »

Charles vérifia alors la date sur le chèque, et constata, stupéfait, qu'il était fait en date de ce jour même !

Et il ne put s'empêcher de penser que son père avait tout prévu, oui, tout prévu d'avance, tout planifié, fort soigneusement, et ce, forcément avant sa mort, dont il connaissait donc l'heure...

14

Où le héros demande la main de Clara

Cela fut une curieuse expérience pour Charles d'assister à l'enterrement de son père qui avait décidé, pour des raisons faciles à comprendre, de rester dans la limousine avec Eugène.

On risquait forcément de le reconnaître malgré sa jeunesse retrouvée, et la brillance extraordinaire de son visage aurait soulevé des questions... Il n'avait pas envie de s'expliquer avec tout le monde : il était revenu exclusivement pour son fils « manqué », mais à la vérité son fils le plus doué et certainement son préféré...

Oui, expérience curieuse pour Charles, et douloureuse aussi, car même s'il savait que son père était pour ainsi dire vivant, lorsqu'il vit la tombe descendre vers le fond de la fosse, il ne put retenir ses larmes. Tout le monde pleurait d'ailleurs, son frère, sa sœur, ses oncles et tantes, les nombreuses petites amies de son père qui avaient tenté d'égayer, sans trop de succès, la fin de sa vie...

Clara aussi versait des larmes, bien entendu...

Clara à son bras, si belle, et qu'il ne reverrait peut-être plus, après ce service, non seulement le service funéraire, mais le service qu'elle lui rendait par amitié en l'accompagnant.

Même la vieille Éléonore, qui n'avait pas pleuré au salon funéraire parce qu'elle connaissait une « mauvaise journée », ne pouvait contenir sa tristesse infinie, parce que, ironiquement, elle connaissait une « bonne journée » et par conséquent sa mémoire était meilleure. Elle se rendait compte de ce qui se passait, que c'était son fils qu'on enterrait.

Aussi pleurait-elle comme tout le monde. Peut-être un peu plus que tout le monde, car c'est à ce moment seulement, à ce moment, que, en la plus cruelle des ironies de la vie, elle réalisait qu'elle avait toujours mal aimé ce fils, ce fils qui de toute évidence ne lui en avait pas voulu, lui avait pardonné, car s'il ne lui avait rien laissé par testament, il l'avait de son vivant mise largement à l'abri du besoin par une pension plus que généreuse.

Lorsque tout fut fini, lorsque les gens, après une ultime poignée de terre sur la tombe, une ultime rose jetée en signe d'adieu, un dernier signe de croix, commencèrent à s'éloigner, Charles pensa que c'était le moment ou jamais de demander à Clara ce qu'il voulait lui demander depuis son départ.

« Je sais que ce n'est peut-être pas le bon moment, mais je... est-ce que tu veux m'épouser Clara ? Je t'aime... »

Elle le regarda, non sans un certain étonnement, parut hésiter et enfin :

« Non, Charles, c'est trop tard, tu le sais, je le sais...

– Pourquoi trop tard ? Je suis libre et, sauf erreur, tu es libre toi aussi à moins que...

– Non, Charles, je n'ai rencontré personne... »

Elle paraissait insultée par l'allusion.

Charles toucha la poche intérieure de sa veste dans laquelle il avait glissé le chèque mirobolant de cinquante millions. Il eut envie d'avouer à Clara qu'il l'avait dans sa poche, et alors bien entendu, son choix serait fait, avec un peu de regret mais justement il n'aurait plus le choix, il faudrait qu'il choisisse Clara au lieu de son père, au lieu des bonnes intentions de son père, ce serait dommage mais...

Ne fallait-il pas penser en premier à ceux qu'on aimait, à nos proches, à notre famille et surtout à la femme qu'on aimait follement, désespérément et qu'on avait perdue, ou était sur le point de perdre à tout jamais ?

Oui, il devrait peut-être montrer le chèque à Clara, jouer cartes sur table, jouer le tout pour le tout.

Mais aussitôt il se ravisa : ne risquait-il pas de voir revenir Clara pour les mauvaises raisons, même si elle ne lui avait jamais donné l'impression d'être le moindrement mercantile, encore moins vénale ?

« Est-ce parce que mon père m'a déshérité, que je n'ai plus un sou ? demanda-t-il avec une certaine animosité.

— Tu n'aurais pas dû dire ça, Charles, tu n'aurais pas dû dire ça... », fit-elle, visiblement insultée, et elle retira aussitôt son bras du sien.

Dans la limousine, elle et lui avaient un air d'enterrement, et Pierre Rainier pensa — ou fit semblant de penser — que c'était un air de circonstance, même s'il se tenait à côté d'eux plus vivant que jamais !

Clara demanda qu'on la laisse sur un coin de rue, prétextant qu'elle avait des courses à faire.

« On ne se reverra pas, je suppose ? fit-elle à l'endroit de Pierre Rainier...

— Qui sait de quoi demain sera fait ? » fit Pierre Rainier d'un air un peu mystérieux, comme s'il savait des choses qu'il ne voulait pas dire.

Charles ne nota pas sa réponse. Il était trop absorbé dans ses pensées, trop frappé par ce que venait de dire Clara, même si ces mots étaient adressés à son père : « On ne se reverra pas. » Il n'osa pas lui poser la même question qu'elle avait posée à son père, car il connaissait trop bien la réponse.

Jamais il ne l'avait trouvée aussi belle, car le chagrin, surtout celui de la séparation, est souvent une « loupe de beauté ».

En la regardant, pendant que la limousine s'éloignait, il se rembrunissait. Comme son père, dont les yeux étaient humides tout à coup. Il s'en étonna. Son père avait certes toujours témoigné de l'affection à l'endroit de Clara mais en trois ans, il ne l'avait pas vue dix fois, étant donné l'espèce de froid qui régnait depuis si longtemps entre le père et le fils.

Alors pourquoi cette tristesse étonnante ?

Charles en eut bientôt l'explication :

« Ça me fait penser que je vais bientôt retrouver Louise, (c'était le nom de sa femme), après tant d'années, et ça me fait drôle... on dirait que toute ma vie prend enfin un sens, que la boucle est bouclée. "*Veni, vidi, vici*", a dit le grand César. Moi je dis : je suis revenu, je t'ai vu, et j'ai vaincu le démon qui emprisonnait ta grandeur, du moins c'est ma prière. Oui, je suis revenu, je t'ai vu, je t'ai parlé, je t'ai dit ce que je souhaitais pour toi, et maintenant je commence ma nouvelle vie avec la seule femme que je n'aie jamais aimée, avec ta mère...

Charles sentit les larmes lui monter aux yeux : c'était la première fois de sa vie que son père lui parlait ainsi de sa mère, avec une affection aussi évidente...

Et tout naturellement, sa pensée se reporta vers Clara, qui était peut-être, comme sa mère avait été pour son père, la seule femme qu'il avait jamais vraiment aimée, et qu'il avait perdue, peut-être pour toujours, par sa propre bêtise...

15

Où le père du héros lui parle de l'importance de l'enfance

Après avoir déposé Clara, Pierre Rainier suggéra :

«Allons à la maison de campagne. J'aimerais la revoir une dernière fois...»

Les vieux sont comme ça.

Quand ils sentent leur fin proche, ils ont la nostalgie de voir une dernière fois les lieux – et aussi parfois les êtres – qui ont compté dans leur vie.

C'est une sorte de cérémonie des adieux.

Pierre Rainier n'était pas vieux, enfin pas vraiment, et il était déjà mort alors il faisait sa cérémonie des adieux à retardement, si je puis dire...

La maison de campagne se situait au bord du magnifique lac Memphrémagog et il fallait compter une bonne heure et demie pour s'y rendre.

En route, dans la limousine toujours conduite par un Eugène enchanté de pouvoir passer du temps avec son patron bien-aimé, ce dernier se mit à deviser, d'une manière un peu énigmatique et troublante pour son fils. Jugez-en par vous-même.

«Tu te souviens que Platon a écrit que tout système philosophique digne de ce nom contient en lui sa propre contradiction...

— Oui, je crois que c'est dans ses célèbres *Lettres*...

— Peut-être. Eh bien, voilà la contradiction de ma philosophie du succès.

— Tu m'effraies, papa...»

Pierre Rainier sourit, et dit, l'air songeur, les yeux rêveurs, vraiment rêveurs, comme s'il pensait tout à coup à des réalités fort éloignées des réalités ordinaires :

«Hier, au ciel, en tout cas dans ce que vous appelez le ciel, je me suis retrouvé devant une magnifique cathédrale qui ressemblait à s'y méprendre à la célèbre cathédrale de Florence dont le dôme prodigieux a été construit par l'architecte italien Brunelleschi. Seulement, elle était encore plus belle, et ses marbres rose et vert encore plus brillants. Sur le parvis de la cathédrale, un homme est venu vers moi, un homme d'une vingtaine d'années, d'une beauté extraordinaire, oui, vraiment extraordinaire, encore plus beau que tous ceux que j'ai croisés jusqu'à maintenant dans le ciel. Il avait des cheveux blonds qui lui tombaient aux épaules, et des yeux d'un bleu magnifique, on aurait dit un puits de lumière, et très autoritaires, les yeux d'un maître...

«... Il était vêtu comme un homme de la Renaissance, et il m'a alors dit : "Ce que tu as dit à ton fils est bien, mais n'oublie pas de lui dire le plus important." Et il a alors sorti de sa poche une très ancienne pièce de monnaie romaine en or, sur laquelle figurait le profil parfaitement ciselé de César. Et cet homme superbe a dit la parole, d'ailleurs célèbre : "Il faut rendre à César ce qui est à César, et à Dieu ce qui est à Dieu."

« Moi, ému aux larmes, j'ai murmuré : "Maître Jésus !" Et je me suis agenouillé spontanément à ses pieds. Il m'a caressé les cheveux, et il m'a semblé qu'il riait tout doucement. Il m'a alors dit : "Relève-toi, mon ami, car tu te trompes, je ne suis pas celui que tu penses."

— Alors qui êtes-vous ? lui ai-je demandé.

— Qui crois-tu que je suis ?

J'ai avoué : je ne sais pas. Je me suis relevé, je l'ai regardé, muet d'admiration devant sa beauté, sa majesté.

Alors il a dit : "Je suis celui à qui tu penses depuis des années, celui dont tu n'as cessé d'entretenir ton fils, ton idole..."

Alors j'ai compris, et une émotion incroyable est montée en moi, et j'ai balbutié : « Vous êtes Léonard de Vinci !

— Tu l'as dit.

— Mais pourquoi... je veux dire pourquoi cet honneur ?

— Mais, mon pauvre ami, crois-tu qu'on peut impunément passer sa vie à penser à un être ou même à une chose sans finir par l'attirer fatalement dans son orbite ? Ton admiration pour moi m'a touché.

— Même si je ne suis pas grand, même si je ne suis rien en comparaison de vous ? »

Il a alors dit, me montrant bien qu'il savait tout de moi :

« Tais-toi ! Ne fais plus jamais cette erreur ! Ne te diminue jamais ! Au lieu de dire : "Je ne suis pas grand", supprime toute négation, car toute négation appartient aux ténèbres, et toute affirmation à la Vie et à l'esprit, et dis donc, constamment, uniquement, pour respecter ce que tu es vraiment et te mettre à l'unisson avec ta nature véritable : "JE SUIS GRAND." D'ailleurs, ne viens-tu pas de passer des heures à enseigner à ton fils la grandeur, à lui dire : " *le grand oiseau va prendre son envol du mont Ceceri, remplissant l'univers d'étonnement, remplissant toutes les chroniques de sa gloire, et apportant une gloire éternelle au nid où il naquit !* "

Il venait de se citer lui-même parfaitement, même s'il avait noté cette pensée près de six cents ans plus tôt, mais de toute évidence le temps au ciel est différent du nôtre, et Léonard était un grand génie de toute manière.

Il avait raison. Je me suis contenté d'incliner la tête. Il a dit : "Viens, je vais te montrer quelque chose." Nous sommes entrés dans la cathédrale, qui était tout aussi impressionnante à l'intérieur qu'à l'extérieur.

Il y avait passablement de gens, des pèlerins, des chercheurs de vérité, comme partout au ciel, comme partout ailleurs, car je l'ai compris depuis peu le monde entier est un vaste temple, un vaste temple, rien que cela, mais on ne le sait pas.

Le jeune Léonard m'a alors entraîné vers une nef. Dans cette nef, il y avait une grande statue de bois, ou plutôt une sorte de machine qui représentait le fameux homme de Vitruve, debout, avec ses quatre bras, ses quatre jambes. J'ai alors compris que le grand Léonard continuait de faire au ciel ce qu'il avait fait sur la terre pendant son extraordinaire carrière : construire des machines fabuleuses. Peignait-il aussi, je l'ignorais, et je n'osai pas le lui demander.

"Regarde bien", m'a-t-il dit. Il a fait un geste de la main gauche (il était resté gaucher même au ciel !) et alors, comme j'ai toujours pensé de mon vivant, je me suis rendu compte qu'il y avait un autre homme derrière l'homme de Vitruve, un autre homme parfaitement identique et parfaitement dissimulé, une sorte de jumeau dont seuls les bras et les jambes trahissaient la présence, mais qui restait bien caché, il faut croire, car aucun spécialiste de Léonard n'a jamais fait cette réflexion qui aurait pu leur venir, vu les mœurs supposées du grand artiste. Donc, le deuxième homme de Vitruve s'est dégagé pour ainsi dire de celui qui le cachait, et il lui ressemblait effectivement comme à un vrai jumeau, autant par la taille que par le visage, seulement, comme il était dépourvu des rides nombreuses du premier, il paraissait beaucoup plus jeune, âgé de vingt ans à peine.

Alors, Léonard m'a expliqué : "Réussir, triompher, gagner des millions, tout cela n'est rien, rien ! L'ambition, la soif de gloire, de richesse, ce sont juste des ruses pour nous aider à grandir, pour corriger nos défauts, pour devenir plus parfait. Et tous nos insuccès, tous nos échecs, tous nos rêves brisés sont des bénédictions que nous envoie Dieu et n'ont qu'un seul but : nous amener à comprendre cette vérité. L'homme qui entre dans la Vie, avec ses dettes passées, ses défauts, ses faiblesses, ses vices, ressemble au premier homme de Vitruve. Il est ridé et vieux : c'est l'homme ancien des alchimistes. L'homme qui a retrouvé sa grandeur, qui s'est débarrassé de ses imperfections, de ses dettes, ressemble au deuxième homme de Vitruve. C'est l'homme nouveau des alchimistes. Il a retrouvé sa jeunesse, il est redevenu un enfant. Voilà le secret, voilà le secret, il n'en est pas d'autre. Dis à ton fils de redevenir un enfant."

Ils arrivèrent enfin à la maison de campagne, vraiment charmante. Il y avait des années que Charles n'y avait pas mis les pieds, sept ou huit ans au moins, peut-être plus. Il ne se souvenait même plus de la dernière fois. Ce n'était pas qu'elle ne lui plaisait pas, bien au contraire, car dans son enfance, il y avait passé toutes ses vacances d'été, presque tous les week-ends, et il en gardait des souvenirs extraordinaires. Mais depuis qu'il avait pris la décision de ne pas suivre les traces de son père, de faire cavalier seul, pour ainsi dire, il avait aussi cessé petit à petit de fréquenter son frère et sa sœur, et ne les voyait plus sauf pour les occasions incontournables, Noël, les anniversaires de son père et de sa mère, quand elle était vivante bien entendu... Il n'en était pas au point de répéter la fameuse boutade de Gide « Famille, je vous hais ! », mais il n'en était pas très éloigné.

Ému, son père ne parlait plus, faisait le tour des lieux, pensant peut-être à l'époque insouciante et magique, où il était plus jeune, comme ses enfants, où sa femme vivait encore... Et les lieux étaient encore tout pleins de sa présence, car c'était elle qui avait tout décoré, choisi chaque meuble, chaque lampe, chaque bibelot...

Oui, toute son âme habitait encore ces lieux, était présente dans chaque objet, à commencer par le beau vieux piano à queue où elle s'assoyait presque chaque soir, car si Pierre Rainier était mélomane, elle était une musicienne douée, qui jouait avec beaucoup de brio et de sensibilité du Debussy, bien sûr, comme s'il était un lointain ancêtre, mais aussi du Ravel, du Chopin, du Schubert, et bien entendu du Beethoven, dont son mari était fou.

Pierre Rainier, dont le fils respectait le silence ému, s'attarda de longues minutes dans le « living-room », dont l'immense fenêtre donnait sur le lac.

Puis, sortant de son mutisme, il dit :

« Allons au jardin... »

Les deux hommes s'y rendirent. C'était un très beau jardin, avec différents sentiers de pierre qui tous convergeaient vers un abreuvoir à oiseaux au centre duquel s'élevait une tige surmontée d'un disque.

Pierre Rainier alla tout de suite au bord du lac, dont il contempla longuement les eaux calmes.

Pendant ce temps, Charles déambulait dans le jardin, se rappelait ses souvenirs de gamin.

Tout à coup, il fronça les sourcils.

Il lui sembla que quelque chose était différent, que quelque chose était changé...

Oui, il n'aurait su dire quoi au juste, mais il y avait quelque chose de différent dans le jardin, quelque chose qu'il ne reconnaissait plus, ou qui manquait. Et, sans trop savoir pourquoi et sans oser le demander à son père, il eut l'impression que c'était pour cette raison, et non pas par hasard, et non pas uniquement par nostalgie, que ce dernier l'avait entraîné à la maison de campagne de son enfance, dans ce jardin, que c'était pour cette raison que son père lui avait raconté sa mystérieuse rencontre céleste avec le grand Léonard qui avait longuement épilogué sur l'importance de redevenir un enfant...

16

Où le héros doit prendre une décision capitale

Ils revinrent à la maison de Westmount, et Charles, qui avait pris sa décision — ou du moins croyait l'avoir prise —, au sujet du chèque pharamineux de cinquante millions, laissa son père seul pendant une heure pour se rendre à l'hôpital Sainte-Justine.

Il voulait faire ce geste courageux — c'est le moins qu'on pût dire — cet acte de foi en la philosophie paternelle, cet acte de foi en la foi que son père avait en sa grandeur, en son talent, à ses yeux si précaires, oui, accomplir toutes ces choses, pendant que son père était encore là, avec lui, pour que son père soit fier de lui, pour que son père soit content de voir que son fils avait pris la bonne décision.

Mais à la réception de l'hôpital, il fut envahi par une foule de doutes.

Et si...

Et s'il n'était pas aussi grand que son père avait dit...

S'il ne parvenait pas à devenir un grand romancier et à faire fortune...

Alors, il aurait tout perdu...

Oui, si son père s'était trompé à son sujet, s'il avait vu en lui quelqu'un qui n'existait pas...

Après tout, si, à son âge il était encore un simple professeur de philosophie, n'était-ce pas parce que c'était ce que le destin lui avait réservé, et non pas quelque brillant avenir de romancier alors qu'il n'avait jamais complété un seul roman, s'était toujours arrêté, avec les trois ou quatre projets romanesques entrepris, au bout d'une trentaine de pages, comme si c'était sa limite absolue, oui, trente timides petites pages ; comme s'il ne croyait pas en ses personnages, en son histoire, en son style, en son talent, en somme !

Au comptoir de la réception, il tira le chèque de sa poche, il en regarda l'endos. Il ne l'avait pas encore endossé, et ce petit geste ou plutôt cette absence de petit geste, si je puis dire, ne lui révélait-il pas son intention véritable ? Pas nécessaire d'avoir lu Freud pour savoir ça, non ?

Il prit une grande respiration, tira sa plume de sa poche, posa le chèque sur le comptoir, mais au moment de l'endosser, sa main s'immobilisa : c'était simplement au-dessus de ses forces, oui, au-dessus de ses forces !

De donner ainsi cinquante millions, alors qu'il était sans le sou, endetté jusqu'au cou, même, à la vérité...

Cinquante millions qui lui appartenaient, qu'il avait le droit de garder, qu'il n'avait pas volés...

« Est-ce que je peux vous aider, monsieur ? lui demanda alors la réceptionniste de l'hôpital. Est-ce que vous avez oublié le numéro de chambre de l'enfant que vous voulez visiter ?

— Euh non... », dit-il en sursautant.

Et comme si la réceptionniste, en l'arrachant de sa douloureuse méditation, lui en avait donné la réponse, il remit le chèque dans sa poche et se sauva comme... un voleur !

La réceptionniste sourcilla puis haussa les épaules en le regardant s'éloigner : il y avait tellement de gens bizarres dans le monde, et encore plus dans les hôpitaux, qui en étaient en quelque sorte le douloureux microcosme !

Lorsque Charles revint à la maison de Westmount, habité d'une petite honte, il ne trouva pas son père. Immédiatement, il interrogea Eugène :

« Avez-vous vu mon père ?

— Il est parti depuis une heure...

— Parti, mais où ?

— Je ne sais pas mais je... »

Eugène avait l'air fort triste, embarrassé aussi, comme s'il voulait cacher quelque chose à Charles.

« Mais vous quoi ?

— Il m'a fait ses adieux...

— Il vous a fait ses adieux !!! fit-il, rageur, comme s'il l'accusait de ce crime qu'il n'avait pourtant pas commis, et qui du reste n'en était même pas un.

— Oui, je... »

Et alors Charles parut catastrophé, il dodelina de la tête en pensant qu'une fois de plus, comme il avait fait pendant toute sa vie, il s'était montré négligent avec son père, il l'avait tenu pour acquis : il aurait dû profiter des dernières heures avec lui. Maintenant il ne le reverrait peut-être plus.

Parce que le rendez-vous du soir à l'Oratoire Saint-Joseph n'aurait peut-être jamais lieu...

Son père avait peut-être eu une faiblesse, comme c'était arrivé la veille, mais cette fois-ci une faiblesse plus sérieuse, plus définitive qui l'avait empêché de prolonger son curieux séjour sur terre. Ou encore, il n'avait pas résisté à l'attrait de l'au-delà, à la perspective de retrouvailles avec sa femme, et il était mort à nouveau, si on peut dire, et cette fois-ci pour de bon...

Alors, dans son désespoir, et pour retrouver un peu la présence de son père, de son essence, Charles décida d'aller se recueillir dans son bureau où il n'avait pas osé entrer depuis sa mort...

17

Où le héros fait des découvertes dans le bureau paternel

Le bureau de son père…

Son endroit préféré dans son enfance, et même plus tard, lorsqu'il était adolescent…

Oui, le bureau de son père, ce lieu mystérieux et grave où il n'entrait jamais sans une émotion, sans une crainte, ce lieu magique où il osait parfois se cacher quand il jouait à cache-cache avec ses petits camarades.

Ce lieu où il aimait tant se réfugier, quand son père était parti, ce qui arrivait si souvent, vu ses voyages — ou ses escapades dont il ne savait rien.

Alors, bien souvent, la tête haute, le torse bombé, les lèvres avancées en une moue autoritaire, il s'assoyait fièrement dans sa chaise, et là, depuis ce véritable trône — y en a-t-il de plus grand, je vous le demande ? — il jouait à être son père, il jouait à être celui qu'il admirait le plus, qu'il adorait, qu'il vénérait, qui était tout son monde, tout son idéal, toute sa vie !

Dans le palais imaginaire de ce bureau bien réel, il s'emparait du combiné d'une main virile et parfois impatiente, et parfois même colérique (comme celle de son père, bien entendu) et là, tout empli de sa grandiose présence, il faisait semblant de passer des coups de fil, de donner des ordres, et souvent il raccrochait violemment comme il avait vu tant de fois son père le faire.

Oui, il faisait semblant d'être lui aussi un grand homme d'affaires...

Mais ça ne s'était pas trouvé...

Il avait tourné le dos à son père, s'était tourné vers la philosophie, non sans le regretter parfois, car la philosophie, ça voulait surtout dire (il n'avait pas prévu le coup, dans son idéalisme fou) son enseignement...

Et l'enseignement, ce n'était pas toujours une partie de plaisir. C'était souvent infiniment frustrant, éprouvant, on ne s'imagine pas...

Tous ces élèves devant vous, devant vous souvent pour les mauvaises raisons, souvent endormis et bâillant sans retenue, comme pour commenter déplorablement vos envolées oratoires, comme pour vous dire tu es nul, archi-nul, remballe ta camelote dépassée, ces élèves devant vous qui, d'année en année, vous paraissent plus jeunes : ça ne vous rajeunit pas !

Ça vous donne un coup...

De vieux !

Il pensa en ce moment, et ce n'était pas la pensée la plus réjouissante de sa semaine, ni même de son année, qu'il aurait pu, qu'il aurait dû passer plus de temps avec son père.

Oui, car ayant, selon une variante de la belle prescription de Descartes, fait table rase de toutes les activités insignifiantes de sa vie, ayant, dans la lumière si révélatrice de la douleur et de la mort, tout analysé, tout soupesé, tout pensé, il voyait bien que la chose la plus importante était le rendez-vous avec son père, et il l'avait raté, comme il avait raté, avec un talent égal, son rendez-vous avec Clara, la femme de sa vie...

Sur les murs du bureau de son père, une vaste bibliothèque toute garnie de livres de philosophie, bien sûr, mais aussi de romans, de manuels d'histoire et de biographies, car Pierre Rainier avait toujours aimé la vie des grands hommes.

Des livres ésotériques aussi, car il s'était constamment intéressé au côté mystérieux de la vie, comme le grand Einstein...

Aux murs encore, différentes photos illustrant sa prestigieuse carrière...

Des photos avec de nombreuses personnalités du Québec et d'ailleurs...

Des gens d'affaires, des artistes, des célébrités...

Une grande affiche de Beethoven bien sûr, avec sa chevelure romantique...

Un grand portrait de Socrate, beau en sa laideur légendaire...

Une magnifique chaîne stéréo...

Charles s'en approcha, nota qu'une pochette était restée ouverte : la *Neuvième Symphonie* de Beethoven, dirigée par Herbert von Karajan !

Un hasard qui n'en était pas un...

Et il pensa que son père était probablement mort en écoutant son musicien préféré, le grand Beethoven, qui avait été l'inspiration de toute sa vie. C'est sa secrétaire qui l'avait trouvé sur le plancher de son bureau, au retour d'un lunch...

Il était parti au son de sa musique préférée : la *Neuvième* avait été son magnifique passeport vers l'au-delà...

Cette pensée fut une sorte de baume pour Charles...

Il mit la dernière symphonie du grand musicien, rêva un instant.

Puis comme il avait fait tant de fois dans son enfance, il s'assit au bureau paternel, une vieille table ancienne, style français dix-huitième, qu'il avait payée une petite fortune...

Son premier soin fut de jeter un coup d'œil au très beau portrait de sa mère, que son père avait toujours gardé sur son bureau même après sa mort...

Après son avertissement, je veux dire son précédent infarctus, peut-être parce qu'il sentait sa fin proche, ou qu'il avait appris des choses de l'autre côté, il avait congédié toutes ses maîtresses, et il était entré dans un culte étrange : le culte de Louise Debussy ! Comme s'il regrettait ses erreurs, ses infidélités si nombreuses...

Plusieurs employés de la maisonnée l'avaient, dans les derniers temps, surpris en train d'écouter leur musique, leur morceau, *Memories,* chanté admirablement par Barbra Streisand.

Louise Debussy...

Louise Debussy, qui adorait la musique, tout comme lui...

Lui qui serait peut-être devenu chef d'orchestre s'il n'avait pas voulu faire fortune dans les affaires, car c'était dans sa nature de diriger...

De jouer pour gagner...

De foncer...

D'avoir raison...

Charles se rappelait avec nostalgie les slogans que son père avait répétés à satiété tout au long de sa carrière, sur toutes les tribunes...

Louise Debussy...

Élégante, grande, racée, blonde...

Si vulnérable aussi...

Si amoureuse...

De lui.

Juste de lui.

Sa seule raison d'être, sa vie.

Pierre Rainier le savait.

D'où sa nostalgie, sa culpabilité et son étonnante méta-morphose...

Charles se rendit alors compte que son père avait sorti un vieil album de photos, joliment relié en cuir.

Il ne put résister à la tentation de le feuilleter. Il y avait les très belles photos de mariage de ses parents : comme ils étaient jeunes, beaux, romantiques, pleins d'espoir et de rêves !

Et comme tout cela était loin !

Des photos de famille, quand les enfants étaient encore des enfants, après ce n'est jamais plus pareil...

Des photos de vacances, de voyage, tout le film d'une vie, en somme... C'est si peu de choses, et en même temps c'est si grandiose !

Charles eut cette pensée, banale sans doute, et que bien d'autres avaient eu avant lui – mais là, il s'agissait de sa vie et on trouve toujours ça moins banal quand c'est sa propre vie et non celle des autres ! – cette pensée que la vie passait vite, bien vite, en un clin d'œil, puis il ne reste plus rien, que des souvenirs, et pas toujours roses...

Ses deux parents étaient morts...

Quant à son frère et sa sœur..., ce n'était plus exacte-ment la joie innocente de l'enfance...

Il pensa qu'il devrait tenter de se réconcilier avec eux.

Un jour...

Peut-être...

Enfin, il verrait bien...

Et il savait qu'il devrait sans doute faire les premiers pas, eux maintenant étaient trop riches pour ne pas le mépriser encore plus qu'avant l'héritage...

Il referma l'album, et il lui sembla que c'était sur toute sa vie qu'il le refermait !

La *Neuvième* de Beethoven se poursuivait, colossale, mystérieuse, géniale, comme son compositeur, et à ce moment, Charles sourit : il venait de se rappeler la folle pantomime de son père qui dirigeait un orchestre invisible avec une vieille branche d'arbre, et les gamins qui le suivaient, amusés par sa folie si proche de la leur, si proche mais d'autant plus divertissante qu'elle provenait d'un adulte, et plutôt âgé de surcroît...

En refermant l'album, Charles nota — comment ne l'avait-il pas vu avant ? — un flacon de médicaments. Il le prit, lut l'étiquette : c'était les médicaments pour la tension artérielle que son père était forcé de prendre depuis des années. Le flacon n'avait pas été ouvert, et du reste il était plein. Charles regarda la date : c'était le lendemain de la défaillance cardiaque que son père avait eue après leur terrible dispute !

Ça faisait donc un mois que son père n'avait pas pris ses médicaments, une négligence probablement fatale...

Mais vraiment une négligence ?

Ou plutôt une volonté secrète de mourir...

Ou ces choses qu'il avait apprises de l'autre côté, un mois avant sa mort...

Ou la certitude que son heure était arrivée de toute manière...

Charles posa le flacon sur le bureau.

Il n'aurait peut-être jamais la réponse, et très certainement il n'oserait pas poser la question à son père...

Si du moins il le voyait pour une dernière fois...

Peut-être le soir, si ce mystérieux rendez-vous avec le mendiant avait vraiment lieu...

Quelques instants de rêverie nostalgique pour Charles, puis ses yeux s'arrêtaient sur un livre – parmi quelques autres – qui encombraient le bureau de son père...

Un livre dont la présence l'étonna au plus haut point : *Fragments d'un enseignement inconnu*, de P. D. Ouspensky.

Charles se fit alors la réflexion que son père était encore plus original qu'il ne l'avait jamais pensé. Quel homme d'affaires – quel homme tout court ! – de sa connaissance lisait un ouvrage aussi ésotérique ! Et il se rendait compte que, vraiment, il n'avait jamais connu son père, que ce dernier non seulement avait été un homme d'affaires remarquable, un mélomane, un séducteur, un philanthrope, et pas seulement pour des causes connues mais aussi, mais surtout pour de petites gens obscurs... Mais surtout, oui, SURTOUT, son père avait été un véritable philosophe, un... les mots lui vinrent alors, oui, c'était cela qui le définissait le mieux, cette catégorie d'êtres si rare en cette ère de banalité générale : un libre penseur !

Oui, un libre penseur, quelqu'un qui s'était toujours moqué des préjugés, des idées reçues, qui avait établi son propre mode de pensée, ses propres règles de conduite, SA philosophie !

Et qui avait voulu tout connaître, tout vivre, tout conquérir !

Pourquoi n'avait-il pas compris ça plus tôt ?

Pourquoi ?

Quelles conversations fascinantes il aurait pu avoir avec son père !

Il ouvrit le livre, le feuilleta et nota que la page 416, avait été annotée de la main de son père, surtout soulignée en rouge. Une intuition s'était emparée de lui. Si son père avait laissé ce livre, là, ce n'était peut-être pas par hasard...

Vrai ou faux, il le lut avidement, comme si ce passage lui révélait quelque chose au sujet de son père, et il est vrai que, dans un livre, on souligne toujours les passages qui nous interpellent, non :

« Entre l'art objectif et l'art subjectif, la différence est en ceci que dans le premier cas l'artiste "crée" réellement – il fait ce qu'il a l'intention de faire, il introduit dans son œuvre les idées et les sentiments qu'il veut. Et l'action de son œuvre sur les gens est tout à fait précise ; ils recevront chacun d'eux selon son niveau naturellement, les idées et les sentiments mêmes que l'artiste a voulu leur transmettre. »

Charles ne fut pas sûr de bien comprendre. Même, il fut sûr de ne rien comprendre du tout. C'était un peu « songé » comme auraient dit certains de ses étudiants... Mais peut-être la suite l'éclairerait-elle...

En marge de ces lignes soulignées en rouge, un pointillé bien appuyé (et de la même encre) conduisait cavalièrement (décidément, son père ne respectait pas les livres !) comme le chemin tracé par le Petit Poucet avec des cailloux, à la page 418, vers un passage également mis en relief par la plume rubiconde de son père :

« Je ne vous donnerai qu'un exemple – la musique. La musique objective tout entière se base sur les octaves intérieures... »

« *Octaves intérieures...* », pensa Charles, le front traversé d'une ride profonde.

Il ignorait de quoi il pouvait s'agir, poursuivait pourtant sa lecture, poussé par l'irrésistible démon de la curiosité et la certitude que son père était tout sauf un de ces esprits fêlés qui se perdent dans de stériles élucubrations métaphysiques.

Mais, s'avisa-t-il, ça voulait peut-être simplement dire que… la grande musique agissait sur l'homme, pouvait le changer, le transformer !

Autre passage souligné que Charles lut avidement, car il avait l'impression que son père avait voulu lui laisser des indices, un message, une clé : « L'histoire de la destruction des murailles de Jéricho par la musique est une légende de musique objective… »

Et plus loin : « Orphée se servait de la musique pour enseigner.. »

Et enfin : « L'art n'est pas seulement un langage, mais quelque chose de beaucoup plus grand… »

Mais surtout, en marge de la réflexion au sujet de Morphée, ces mots, de la si belle écriture de son père, magnifiée encore par la mort, comme le sont toutes choses par la lumière du crépuscule : « Beethoven 94 ! »

Qu'est-ce que ça pouvait vouloir dire ?

Beethoven 94…

18

Où le héros se sépare de son père

Impatient de revoir son père, Charles arriva à l'avance au rendez-vous de l'Oratoire Saint-Joseph.

Niroda n'était pas encore là.

Ni Pierre Rainier.

Charles s'assit sur un des modestes bancs de l'église.

Toutes sortes de pensées l'assaillirent.

Et si son père ne venait pas?

Et si son père ne venait pas parce qu'il était déjà reparti, et cette fois-ci pour de bon, dans l'au-delà?

S'il avait eu une défaillance, une faiblesse, ou simplement une nostalgie trop puissante de retrouver tout de suite sa Louise...

C'était son droit après tout...

Ne s'était-il pas déjà montré suffisamment méritoire de revenir en ce bas monde, oui, assez bas, merci, de par ses guerres, ses famines, ses misères, pour venir lui montrer le chemin vers lui-même, le chemin vers sa grandeur à ses yeux encore douteuse, lui, Charles Rainier, Thomas malgré lui de son grand rêve?

Vingt-deux heures dix…

Et toujours pas de Niroda, toujours pas de papa !

Et des angoisses grandissantes, son visage qui se décomposait petit à petit, lentement mais sûrement, et cette pensée horrible qu'il n'aurait pas dû laisser seul son père l'après-midi, même si c'était pour une bonne cause…

Pour une bonne cause !

Il se frappa alors le front…

Oui, il venait de trouver la raison, la raison véritable de l'absence de son père à ce rendez-vous, son père qui, en son corps de lumière, voyait tout, savait ses plus secrètes pensées, avait vu sa lâcheté, l'après-midi, à l'hôpital, ce chèque qu'il avait refusé d'endosser, de donner…

Et il était reparti pour de bon dans l'au-delà, déçu par son fils, par son fils doublement manqué, manqué une deuxième et dernière fois, manqué à tout jamais…

Alors jamais de sa vie il ne se sentit aussi seul, et je crois qu'il l'était encore plus que moi lorsque cette histoire m'est venue : j'attendais un miracle dans ma vie, un miracle dans ma nuit, ami lecteur, dans ma solitude vaste comme un champ de blé, mais comme lui féconde : à quelque chose malheur est bon !

Charles enfin se leva.

Il retournerait chez lui, vers sa solitude, vers sa petite vie, sans son père, sans Clara, deux fois orphelin, en somme…

Mais en traversant la salle des *ex-voto*, où l'on trouve des lampions pour toutes les prières, de la guérison (improbable) de l'être cher au repos de l'âme (torturée) des défunts, où l'on trouve aussi, sur les murs, ce si touchant étalage de béquilles de tout âge et de toute taille des miraculés du bon frère André, oui, en traversant la mort dans l'âme la salle des *ex-voto*, Charles s'aperçut qu'il y avait beaucoup de gens, et s'en étonna.

D'ailleurs, il s'était étonné, à son arrivée, quelques minutes plus tôt, que la porte de l'Oratoire fût ouverte si tardivement et avait pensé : « *Ça doit être ce mendiant Niroda, qui semble pouvoir obtenir, grâce à son grand âge dans la hiérarchie universelle, toutes les faveurs de l'univers.* »

Oui, il y avait beaucoup de monde...

Au moins une vingtaine de personnes...

Mais Charles ne fut pas long à constater qu'il ne s'agissait pas de grandes personnes, mais d'enfants...

Et ces enfants chantaient, avec des harmonies merveilleuses, avec une pureté infinie, *L'Hymne à la joie* de Beethoven.

Et Charles fut touché par la beauté de ce chant, par cette chorale improvisée d'enfants, par l'innocence, la délicatesse de ces petites voix...

Et moi qui, contrairement à mes habitudes, trace nuitamment ces lignes, je me rappelle soudain cet instant où ma fille Julia, à neuf ans, jouait à quatre mains avec son professeur cet *Hymne à la joie*, dans une version simplifiée, mais alors là ! Et même si elle jouait mal (son professeur soupirait malgré sa patience admirable), j'ai pensé, ému : « *Comme la beauté véritable est puissante, qui résiste non seulement au passage du temps, mais à la maladresse de ses interprètes !* »

Les enfants, tout en chantant, ravis, *L'Hymne à la joie* jouaient à un jeu singulier.

En effet, plusieurs d'entre eux étaient parvenus, Dieu sait comment, avec leurs petits doigts de magiciens, à défaire des montages de petites béquilles, de petites béquilles qu'ils avaient peut-être dû porter à une époque, avant le miracle qui les en avait débarrassés à tout jamais, c'est du moins ce que Charles crut spontanément. Mais il y avait aussi là des enfants ramenés provisoirement sur terre par Niroda, pour retrouver quelques jours, quelques heures, mais ce n'était pas rien, oh non ! leurs

parents méritoires, restés inconsolables de leur décès prématuré, par cancer ou autre grand malheur révoltant de la vie.

En s'approchant, intrigué, ému, Charles se rendit alors
compte que ces enfants n'étaient pas des enfants ordinaires : ils
étaient morts, en tout cas ils avaient trépassé, et vivaient dans
la même forme fantomatique et lumineuse que... son père !

À un moment, à l'autre bout de la salle, un homme fit son
entrée, et Charles le reconnut immédiatement malgré la demi-
obscurité : c'était Niroda !

Les enfants aussi le reconnurent, car aussitôt ils cessèrent
de chanter, abandonnèrent leurs jeux, et se précipitèrent vers
le mystérieux mendiant.

Derrière eux, ils laissèrent cinq ou six paires de béquilles,
et c'est ce qui explique que, malgré des précautions infinies,
l'administration de l'Oratoire, médusée, trouve souvent, le
matin, des béquilles d'enfants sur le vénérable plancher de la
salle des ex-voto !

Derrière eux donc, les enfants laissaient leurs béquilles,
utiles à une époque de leur vie, comme la laideur de Pierre
Rainier, comme les handicaps que tous nous avons, pour moi
un cœur défaillant, pour vous un nez trop long, une cuisse trop
lourde. Oui, ils laissaient le cœur léger leurs béquilles, mais ils
laissaient aussi un compagnon de jeu, le seul adulte qui, agenouillé jusque-là au milieu d'eux, se relevait alors, majestueux,
éblouissant. Et Charles le reconnaissait sans peine, avec une
joie aussi furibonde que celle de l'ode célèbre de Beethoven :
c'était son père ! Il était encore plus beau, plus lumineux, plus
resplendissant que quelques heures plus tôt, mais aussi, oui,
plus immatériel, plus absent, comme s'il était déjà parti...

Son père qui lui souriait, narquois.

Charles se précipita vers lui, le serra dans ses bras, comme
il l'avait si rarement fait dans sa vie.

« Je croyais que tu ne viendrais pas ! » avoua-t-il.

Et les deux hommes restèrent un long moment à se tenir les mains, à se regarder, souriant comme les plus grands amis du monde, comme Ben-Hur, quand il retrouve son ami d'enfance après une trop longue absence.

« Hé, vous deux, là-bas, fit alors Niroda, toujours entouré par les enfants qui riaient, s'amusaient, sautaient, nous sommes en retard… »

Et de son index droit, il tapotait sur la montre qu'il feignait de porter, mais dont il n'avait plus besoin depuis des… siècles !

Charles et son père accoururent.

« Où étiez-vous ? demanda Niroda.

– Ben, j'étais là à vingt-deux heures moins le quart…

– J'avais dit au dôme ! les tança gentiment Niroda…

Et Charles alors réalisa son erreur : il avait attendu son père et le mendiant dans la petite chapelle originale, où le modeste portier du collège Notre-Dame, le frère André, avait commencé sa dévotion à saint Joseph !

Et quant à son père, il ne donna aucune explication et personne ne lui en demanda une. De toute manière, Niroda ordonnait ;

« Suivez-moi, le temps presse. »

Et il dirigea ce groupe singulier vers la grande cathédrale.

Les enfants avaient spontanément formé une file, marchant deux par deux, se tenant par la main, mignons comme tout, et s'étaient remis à chanter, mais cette fois-ci l'*Ave Maria* de Gounod. Est-ce parce que, pour plusieurs, ils iraient enfin retrouver leur maman trop tôt en allée, ou la maman de tous les enfants du monde : Marie ?

Charles et son père fermaient ce curieux défilé.

Sous le grand dôme, tout se passa vite, très vite, trop vite évidemment au goût de Charles.

Ce fut d'abord au tour des enfants de partir. Ils se mettaient la plupart deux par deux, se tenaient par la main, comme ils avaient fait dans le défilé, soit frère et sœur, ou amis de toujours. Le mendiant s'approchait d'eux, leur touchait entre les deux yeux, leur disait : « Regarde-moi dans les yeux, et souviens-toi de cette lumière, souviens-toi de cette lumière ! »

Puis il leur donnait une petite tape sur la joue, leur disait : « Bon voyage ! »

Et les enfants s'élevaient dans les airs, comme de véritables petits anges, semblaient aspirés par le dôme et disparaissaient.

Enfin vint le tour de Pierre Rainier.

Moment que Charles redoutait, oui, redoutait mais... voilà c'est la vie, tout passe, sa faveur de trois jours arrivait à son terme...

Son père si loquace depuis trois jours, fut bref en cet instant :

« Souviens-toi de ce que je t'ai dit, de ta grandeur, ne la gaspille pas, c'est mon héritage, et n'oublie pas l'ultime conseil de Léonard...

— Et si je... si je ne trouve pas...

— Ta grand-mère Éléonore t'aidera, elle te montrera le chemin...

— Mais papa, je ne comprends pas, elle souffre d'Alzheimer...

— Ça fait partie de l'épreuve, retourne avec elle dans le jardin de ton enfance. Je dois partir maintenant. »

Il se tourna alors vers Niroda comme pour lui signifier qu'il était prêt. Ce dernier s'approcha de lui et même s'il était un adulte il le traita comme il avait traité les enfants.

Mais il ajouta une petite variante à son traitement. Il plaça en effet son poing gauche sur le sommet du crâne de Pierre Rainier, à l'endroit qu'on appelle la fontanelle, et formant un poing avec son autre main, frappa sur son poing gauche.

Puis il dit :

«Vous êtes prêt à partir maintenant...»

Pierre Rainier l'était en effet, mais pas Charles.

Comme pour lui faire une ultime faveur, ou lui donner un dernier enseignement, va savoir, Pierre Rainier se mit alors à diminuer et arrêta sa taille à celle d'un enfant qui a atteint, hélas, l'âge de raison, sept ans, croit-on.

Il sourit un instant puis curieusement, mit son index droit à cet endroit même que Niroda venait de frapper, sourit, dit enfin :

«Je t'aime, mon fils.

– Moi aussi, papa, je t'aime.

– Bonne chance.»

Et tout en conservant curieusement son index sur sa fontanelle, il commença à s'élever dans les airs, enfant merveilleux, et disparut comme les enfants avant lui par le dôme.

Et Charles pensa : *« C'est fini, fini, fini, je ne le reverrai jamais plus ! »*

Il se tourna vers Niroda. Il était maintenant seul avec lui, dans la vaste cathédrale.

«Je... je vous en veux un peu, avoua-t-il.

– Vous m'en voulez ? Mais n'avez-vous pas eu la faveur que vous me demandiez ?

– Oui, c'est vrai, c'est vrai, admit Charles, mais maintenant je vais m'ennuyer encore plus de mon père. Parce que, avant ces trois jours, je ne le connaissais pas, c'était juste MON père, c'était un inconnu pour moi, au fond. Maintenant, je sais qui il est, je connais l'étendue de son esprit, sa folie, il était devenu mon meilleur ami, je me suis attaché à lui et je viens de le perdre, et je...»

Il baissa la tête, il trouvait trop insupportable la tristesse de cette nouvelle séparation.

Niroda demeura un instant silencieux, puis il tira de sa poche la mystérieuse boule de verre qu'il avait utilisée trois jours plus tôt, au salon funéraire. Et tandis que Charles, qui reprenait un empire, au moins provisoire, sur son chagrin, relevait la tête vers lui, le mendiant lui dit :

« Je vais vous accorder une autre faveur.

– Une autre faveur ? s'enquit Charles qui tout de suite pensa qu'il ferait à nouveau revenir son père, pour tenter de le guérir définitivement de son insupportable nostalgie.

– Car il en reste dans la besace céleste de votre père, pour tout le bien qu'il a fait, pour tout ce qu'il a donné à de parfaits étrangers.

– Je...»

Charles était trop ému pour dire autre chose et de toute manière Niroda s'était penché sur la boule de verre dont l'intérieur avait commencé à s'animer. On y voyait la même sorte de nuage mystérieux que la première fois, puis ce nuage se dissipa, et Charles qui, curieux, s'était avancé, y vit ce qui semblait être une grande table blanche avec en son centre une sorte de disque, également blanc : en son milieu deux colonnes de marbre rose s'élevaient, et, à leur sommet, comme suspendue entre elles, une belle montre en or. Charles grommela de déception : il s'attendait, il était même certain de voir apparaître son père comme la première fois, signe magnifiquement précurseur de son imminent retour.

Il vit bientôt des hommes, plusieurs hommes, au moins une dizaine, peut-être plus, et un enfant complètement nu émergea bientôt de leur assemblée. Il avait environ deux ans, peut-être un peu plus, peut-être un peu moins, et ses cheveux étaient bouclés et blonds comme ceux d'un chérubin, ses joues étaient bien grasses et ses cuisses encore toutes potelées. À sa vue, les hommes, sans se consulter, retirèrent leur montre et la jetèrent vers les deux colonnes, comme follement amusés par ce geste incompréhensible.

Charles fronça les sourcils. Qu'est-ce que cette vision pouvait bien signifier?

Niroda parla alors:

«Dans trois ans, jour pour jour, vous donnerez une fête chez vous. À cette fête vous aurez invité douze hommes, mais l'un n'aura pas de montre. Demandez aux onze autres de retirer leur montre et de la poser sur votre grande table nappée de blanc avec en son centre un gâteau et deux cierges et mettez au milieu de toutes ces montres la montre que votre père vous a laissée en héritage...»

Il n'en dit pas plus.

Charles dodelina de la tête, pensant, ébaubi: *«Il sait ça aussi, au sujet de la montre de papa! Est-il une chose qu'il ne sait pas!»*

Il voulut lui demander des éclaircissements, car c'était un peu mystérieux, un peu sibyllin, tout ça, vous en conviendrez.

Mais Niroda le rabroua:

«Pourquoi vous poser constamment des questions! Vous ne faites donc pas confiance à la Vie?»

Charles inclina la tête, comme s'il faisait amende honorable, et pourtant, malgré la réprimande, il osa poser au singulier mendiant la question qui le chiffonnait depuis qu'il avait fait sa connaissance au salon funéraire, trois jours plus tôt.

« Qui êtes-vous au juste ? »

Niroda fit une réponse toute différente de celle qu'attendait Charles, ce qui est le propre des sages, car si les sages faisaient les réponses qu'on attend d'eux, ils ne seraient pas de vrais sages.

Ou bien nous serions comme eux, et alors nous n'aurions pas besoin d'eux.

« Il y a plusieurs états de l'esprit, plusieurs états, presque autant qu'il y a d'êtres, expliqua calmement Niroda. Mais laissez-moi vous dire les quatre premiers, c'est utile à votre gouverne. Il y a d'abord l'état stupéfait, dans lequel, comme disait votre père, bien des gens vivent sans s'en rendre compte, car ils dorment pour ainsi dire, ignorants involontaires de leur grandeur (« *Il sait aussi ça, se dit Charles !* »). Vient ensuite l'état distrait, où l'esprit peut se fixer, mais fort peu longtemps, sur une chose, et passe sa vie comme un oiseau fragile sautant d'une branche à une autre, et s'épuisant à la fin, en cette ronde sans fin, et s'angoissant assurément, car il ne sait jamais où il va, d'où il vient. C'est l'état le plus commun en ce monde, en cette époque.

« Puis vient l'état suivant de l'esprit, l'état concentré, où l'esprit peut rester établi longtemps sur un même sujet. C'est un vaste progrès et il permet de belles réussites, de grandes richesses en ce domaine de votre élection, et surtout de grandes moissons de calme et de liesse. Enfin vient l'état où toutes les inquiétudes, tous les vacillements de la pensée cessent. L'esprit de l'homme redevient alors comme celui d'un enfant, il réussit tout aisément. Tout ce qu'il touche se transforme en or. Il fait rapidement ce que la plupart des gens ne peuvent même pas faire lentement : c'est le signe du génie. Aussi produira-t-il parfois des chefs-d'œuvre. En d'autres cas, selon son passé et sa pureté, il accomplira ce qu'on appelle des miracles, car il vit constamment dans le présent et l'amour, dans le silence et la joie : c'est l'état arrêté de l'esprit. Les initiés l'appellent Niruddha, d'où mon nom qui lui ressemble, modeste fenêtre de mon état pour ceux que je croise en mon vaste jardin. Car à la vérité je suis le jardinier de Dieu, c'est mon travail : il en faut un en chaque état de conscience. »

Il se tut un instant et ajouta :

« Si vous atteignez cet état, vous deviendrez comme moi, mieux encore vous deviendrez moi, et vous deviendrez aussi votre père, et vous guérirez de la tristesse de son absence. Vous deviendrez alors le grand romancier que vous voulez devenir, car vous vous serez débarrassé de votre encombrant petit moi, auquel vous vous accrochez par peur de votre propre grandeur. Si vous y parvenez, vous deviendrez tout le monde, vous comprendrez tout le monde, votre cœur sera grand comme l'univers, ce sera pour vous la fin de la solitude, il n'y en a pas vraiment d'autre, quoi qu'on en dise.

« Alors, vous ferez ce que vous voudrez : ce sera ce que Dieu voudra, car tout arrive par sa Volonté. Mais ne perdez pas de temps, ne vous égarez pas en des chemins de traverse, en des projets futiles comme font trop de gens qui meurent avant d'avoir entrepris le vrai voyage, et qui laissent derrière eux une valise toute pleine de projets, toute pleine du plus grand projet, qui est de se connaître et d'être heureux. C'est la grâce que je vous souhaite. »

« Il sait aussi ça, pensa un Charles sidéré, que je rêve de devenir romancier ! »

Il aurait aimé le questionner davantage, mais déjà le mystérieux mendiant s'éloignait. Il avait dit son dernier mot.

Charles n'osa pas l'importuner davantage. N'avait-il pas déjà beaucoup fait pour lui ?

Un malheur, dit-on, ne vient jamais seul.

C'est en tout cas ce que répètent et pensent ceux qui ne voient pas la vie en rose, ceux qui ne voient pas les occasions de bonheur ou de richesse qui, trois fois par jour, leur passent sous le nez !

C'est sans doute ce que Charles avait toujours pensé, en tout cas pensait depuis quelque temps.

Et pourtant, une agréable surprise l'attendait chez lui...

19

Où Clara prouve son amour à Charles

Clara si belle !

Belle comme une apparition…

Clara qui était revenue…

Mais pourquoi, se demanda aussitôt Charles qui sans doute craignait de souffrir encore plus par quelque faux espoir ?

Clara était assise sur le sofa du salon, affalée pour mieux dire, perdue dans ses pensées, ses rêves…

Mais ses rêves à elle, ou ses rêves de leur couple, si je puis dire ?

Charles était estomaqué :

«Tu…»

Il faillit dire : «Tu as oublié quelque chose ?»

Mais c'était trop pessimiste, et ce n'était pas ce que son cœur lui dictait.

«Tu as l'air tout pâle, dit-elle, est-ce que ça va ?

— Mon père est mort… je veux dire… il est parti pour toujours, je ne le reverrai plus…»

Clara se leva, alla l'embrasser.

Était-ce de la pitié ? De la solidarité entre anciens compagnons de vie ?

Sans doute...

« Tu es gentille, je n'oublierai pas ce que tu as fait pour moi dans les circonstances...

— Charles, je... Écoute, je suis revenue pour te dire, si c'est sérieux ce que tu as dit au cimetière, c'est oui, mais il faut que ce soit tout de suite, je veux dire, pas ce soir, évidemment pas nécessairement demain, mais pas dans six mois...

— Je... je ne suis pas sûr de te suivre...

— Pour le mariage, idiot !

— Tu dis oui ? C'est vrai ?

— Oui, mais je veux aussi un enfant... Et pas dans dix ans...

— On peut le faire ce soir si tu veux.

— Je veux bien essayer... »

Il la souleva de façon romantique dans ses bras, comme une jeune mariée, la porta vers la chambre à coucher, la posa sur le lit, mais avant de l'y rejoindre et même si elle se déshabillait à toute vitesse, et que sa hâte était infiniment contagieuse, Charles dit :

« Il y a quelque chose d'important que je voudrais te montrer...

— Mais j'espère bien ! ! ! » fit-elle coquine.

Charles sourit :

« Non, pas ça... »

Il tira alors de la poche de sa veste l'enveloppe qui contenait le chèque de cinquante millions, la lui tendit. Elle interrompit son déshabillage, restant à demi nue dans son soutien-gorge au troublant balconnet noir, son slip assorti. Elle prit l'enveloppe, l'ouvrit, vit le chèque, s'exclama :

« *O my God* ! Cinq millions !

— Non, pas cinq millions, lis bien : tu as oublié un zéro, c'est cinquante millions !

— Cinquante millions... »

Et elle regarda à nouveau le chèque, ne se donna pas la peine de compter les zéros, lut plutôt le montant écrit en lettres : les lettres ne mentent pas contrairement aux chiffres ! Charles ne plaisantait pas ! Clara écarquilla les yeux. C'était inouï. Le père de Charles était vraiment riche, bien plus riche qu'elle l'avait jamais imaginé, oui, immensément riche pour pouvoir signer un chèque aussi princier.

« Mais... demanda-t-elle encore sous le choc, je croyais que ton père t'avait déshérité...

— Moi aussi, mais tu sais à quel point il a toujours été cachottier. Il m'avait réservé une petite surprise, l'autre jour quand nous sommes allés à la banque, c'était pour ça...

— Ça veut dire qu'on est riches, riches à craquer ! dit-elle en brandissant le chèque. C'est excitant, je ne peux plus me retenir, fais-moi l'amour tout de suite ! »

Charles ne partageait pas son excitation. Elle le vit, le lui dit :

« Tu n'as pas l'air content... Qu'est-ce qu'il y a ?

— Il y a que... Mon père m'a donné le chèque et je peux le déposer quand je veux, mais c'est comme un test qu'il me fait passer...

— Un test ?

— Oui. »

Et il lui relata alors par le menu la longue conversation qu'il avait eue avec son père au sujet de ce chèque.

Elle l'écouta attentivement, non sans étonnement au début, mais sans jamais se fâcher, sans jamais paraître déçue ou même contrariée.

Quand il eut fini ses explications, il attendit son verdict, terriblement angoissé :

«Alors je fais quoi ?» demanda-t-il.

Elle le surprit au plus haut point en lui demandant, infiniment sage, infiniment aimante :

« Qu'est-ce que tu veux vraiment ?

— Je... je... si ça ne te contrarie pas de donner tout cet argent... si tu ne m'en veux pas pour le restant de tes jours, si ça ne te fait rien d'avoir un mari pauvre...

— Mais je n'aurai pas un mari pauvre, si ton père a raison, et tu sais bien comme moi que ton père a toujours raison, tu vas devenir un grand romancier, on va être riches, et surtout, et c'est bien plus important, c'est ça que tu veux, écrire, c'est ton rêve, et si ça ne marchait pas, je veux dire... Il y a juste une chance sur cinquante millions que ça ne marche pas, je dis pas ça pour tourner le fer dans la plaie, et bien je continuerai à arracher des dents, ce n'est pas la fin du monde... et au moins tu pourras dire que tu as essayé...

— Tu es sûre de ce que tu dis ?

— Mais oui !

— Parce que moi, je... j'aimerais faire plaisir à mon père une dernière fois, lui plaire au moins une fois dans ma vie, parce que je l'ai déçu toute ma vie et c'est ma seule chance de me rattraper. Et... »

Il ne put terminer, il se mit à pleurer.

Puis, à travers ses larmes, il ajouta :

«Excuse-moi... je ne suis pas capable de parler de lui sans pleurer, je ne me fais pas à l'idée qu'il est mort, même si, bon, on dirait que non, mais il n'est plus là, il est parti, je ne le reverrai plus jamais... »

Elle se leva, lui remit le chèque.

«Donnons l'argent aux enfants malades.»

Il prit le chèque, le jeta sur le tapis de la chambre.

Il était ému au plus haut point.

Il pensait : *« Jamais une femme ne me donnera semblable preuve d'amour. »* Elle m'aime pour ce que je suis, elle veut que je réalise mes rêves.

Elle m'aime vraiment.

Et dire que, dans ma stupidité, j'ai failli perdre cette femme remarquable.

La femme de ma vie.

Et même s'il y avait trois ans qu'ils partageaient leur existence, leur lit, leur folie mais aussi leurs ennuis, même s'ils avaient bien dû faire l'amour des centaines de fois, ils le firent cette nuit-là de la manière la plus romantique, la plus folle, la plus érotique, la plus tout ce que vous voudrez de toute leur vie !

20

Où le héros résout le début de l'énigme

Il y a loin de la coupe aux lèvres.

Et Charles, qui procrastinait depuis des années dans ses projets de romans, le constata une fois de plus le lendemain.

Car en se réveillant de sa merveilleuse nuit avec Clara, et malgré son appui total, il lui sembla que ce n'était plus aussi évident de faire ce don de cinquante millions.

Ses doutes, trop fidèles compagnons de sa vie depuis long-temps monotone (c'était sa seule certitude !), étaient revenus sournoisement l'assaillir, au sujet de son avenir, de sa propre valeur, ce que son père appelait sa grandeur...

Et surtout, il lui semblait que pour faire ce don la tête tranquille, il lui fallait d'abord découvrir la clé de la mystérieuse énigme que lui avait laissée son père.

Qui était liée à son étrange expérience avec le grand Léonard de Vinci...

Qui était liée à Beethoven aussi...

Beethoven 94...

Note curieuse et en apparence si capitale que son père avait gravée de sa si belle écriture en marge de ce passage tout aussi décisif au sujet de la musique objective, de son effet inévitable sur les êtres, sur leur transformation intérieure...

Beethoven 94 ?

Devant le premier café du matin, dans la cuisine aussi lumineuse que sa vie depuis le retour inattendu de Clara, Charles questionna sa belle dentiste, pour être plus précis, il écrivit tout simplement sur le journal le nom du grand musicien et le chiffre 94 à côté, comme dans *Fragments d'un enseignement inconnu*. Et il dit :

« Ça te fait penser à quoi, je veux dire c'est mon père qui a écrit ça dans la marge d'un livre, ça semblait important pour lui. »

Clara réfléchit mais à peine, dans sa petite tenue, avec ses très belles épaules à la peau irisée très visibles dans la camisole blanche de coton clair qu'elle portait avec rien en dessous, avec un slip c'était tout, et personne ne s'en plaignait, et ses seins... enfin ce n'est pas le sujet de ce roman, et la pensée de Charles de toute manière était ailleurs...

Elle haussa ses adorables épaules au bout de trois secondes et demie tout au plus, et dit sans avoir vraiment réfléchi donc, – et c'est souvent la meilleure manière de trouver la solution, de bien prendre les grandes décisions –, et dit de sa voix qui avait toujours gardé quelque chose de délicieusement enfantin qui n'était pas sans troubler son futur mari :

« Ben, je ne sais pas, moi, le quatrième mouvement de la *Neuvième*... Ce n'était pas la symphonie fétiche de ton père ?

Il se leva d'un bond, comme un fou, l'embrassa sur le front, cria :

« Je t'aime, ma petite malade, ma petite dentiste d'amour ! »

Puis il se dirigea d'un pas rapide vers la chambre à coucher, car lui aussi était en petite tenue, enfin pas aussi petite que celle de Clara, et pas digne de coquine description, mais il lui fallait tout de même s'habiller s'il voulait sortir comme il en avait l'intention. Et ça pressait pour une fois dans sa vie, il y avait urgence en son esprit, et cette impatience, ce me semble, était pleine des plus belles promesses de succès, car le manque de hâte m'a toujours paru néfaste : ce sont peut-être les trois planètes en Bélier dans ma carte du ciel, va savoir !

« Mais mon chou, où vas-tu ? protesta Clara ! Tu m'avais promis de faire le petit-déjeuner après toutes les petites choses que je t'ai faites hier soir ?

– Je reviens dans une minute ! lui assura-t-il sans même se retourner vers elle. »

Dans une minute...

Elle ne le crut pas, elle vivait depuis trop longtemps avec lui. Promesse amoureuse certes, mais promesse d'homme quand même, et de surcroît avec une gratitude endormie par trop de faveurs nocturnes...

Aussi Clara haussa-t-elle à nouveau ses très belles épaules.

De son côté, Charles se frappait le front.

Ce qu'il pouvait être bête !

Beethoven 94 !

Mais bien sûr que c'était le 4e mouvement de la *Neuvième*, le fameux *Hymne à la joie* que, justement, les mystérieux enfants de lumière chantaient avec insouciance la veille, dans la salle des *ex-voto*, entourant son père, lui donnant à l'avance la clé, comme fait souvent la Vie, qui met gentiment sur un plateau d'or, sous notre nez, tous les petits morceaux de papier, tous les petits morceaux, et il ne nous reste plus qu'à les recoller pour enfin voir le dessin, pour enfin voir notre destin...

Il sembla à Charles, sans qu'il pût dire exactement pourquoi, qu'il tenait un élément important du puzzle.

Maintenant, il lui fallait parler à sa grand-mère Éléonore. C'est ce que son père lui avait dit à la fin et comme ce qu'on dit à la fin est toujours important, ou en tout cas est censé l'être...

Une fois habillé, il appela sa grand-mère qui passait le plus clair de son temps à la maison de campagne malgré sa maladie, malgré sa mémoire de plus en plus oublieuse. Heureusement, elle se soignait : elle avait une servante, qu'elle pouvait se permettre grâce à la générosité de feu le bouillant Pierre Rainier, qui avait été avec elle tout sauf un fils ingrat, même s'il aurait pu l'être, mais ce n'était pas sa *cup of tea,* ces banales petites vengeances, qui empoisonnent tant de vies commencées du mauvais pied, vu la froideur maternelle, ou la fuite paternelle.

Charles avait composé fébrilement le numéro de téléphone de sa grand-mère, ce qui ne voulait pas dire qu'elle répondrait tout aussi fébrilement. Premièrement, elle était un peu dure d'oreille, et elle marchait lentement, vu son âge et ses mauvaises jambes. Et dire que les jeunes rêvent de vivre vieux sans savoir le naufrage qui trop souvent les attend, sans savoir que leur optimisme tient à une chose qu'ils n'auront alors plus, ou en trop modestes réserves : leur santé !

Il fallait donc laisser sonner longtemps chez grand-maman, mais au bout du vingtième coup – il les avait comptés ! – Charles se dit, elle doit encore dormir. Et il allait raccrocher lorsqu'il entendit la voix un peu vacillante d'Éléonore dire :

« Allô ? Qui parle ?

– C'est Charles, grand-maman...

– Charles qui ? »

Bon ! Ça commençait bien une conversation ! Et surtout ça commençait bien une conversation où Charles devrait fouiller la mémoire de sa grand-mère à propos de quelque vérité, de quelque secret de son passé !

Elle était de toute évidence dans une de ses mauvaises journées !

Il faut rappeler, à sa décharge, que, la veille, elle était dans une de ses bonnes journées. Et ça avait dû la tuer, de voir ainsi son fils partir, d'autant que tout l'amour qu'elle avait retenu, Dieu sait pourquoi à son endroit, avait explosé trop tard, c'est le pire moment, et ça devait être terrible pour sa fragile conscience de petite vieille !

« Ben, Charles Rainier, grand-maman, ton petit-fils...

– Ah bon... »

Il voyait bien qu'elle ne le replaçait pas, et non seulement ça le contrariait, mais ça le chagrinait profondément.

Il se rappelait ce qu'on oublie souvent, que la mémoire est le fondement de tout être, et par conséquent de toute relation entre les êtres, et donc de toute affection : sans elle on est tous des étrangers !

Et ça fait de la peine à ceux qui, eux, se souviennent...

« Pas grave, pensa-t-il, pas la perte de mémoire, mais la contrariété par elle causée. » Je vais aller la voir, en personne, ce sera peut-être différent. Elle verra mon visage. Et puis comme il arrive souvent avec les vieux qui ne se souviennent pas où ils ont posé une minute avant leurs clés, ou les sept flacons de médicaments à avaler religieusement, et qui sont pourtant dans la même pharmacie que la veille, elle se rappellerait peut-être les choses anciennes. Et c'est justement de ça qu'il avait besoin de la part d'Éléonore : sa mémoire des choses anciennes, d'un secret que lui aurait révélé son fils Pierre Rainier, et dont il avait besoin, lui, pour retrouver la clé de sa grandeur, la clé de son enfance !

– J'arrive grand-maman ! » se contenta-t-il de dire.

Il raccrocha, chaussa le casque de son *iPod*, revint à la cuisine, expliqua à Clara qu'il devait aller de toute urgence visiter sa grand-mère à la maison de campagne, lui proposa de l'accompagner mais elle préféra rester seule.

« Merci pour le petit-déjeuner, ironisa-t-elle.

— Tu ne perds rien pour attendre, chérie ! »

Il la contempla un instant, vit ce que je vous disais au merveilleux sujet de sa camisole et de ses seins, mais se dit, sagement, il faut d'abord que je règle cette histoire.

Il donna un chaste baiser sur le beau front de Clara et sortit à toute vitesse.

Dans la voiture, fonçant comme un fou vers la maison de campagne, il écoutait évidemment *L'Hymne à la joie*, et tentait déjà d'en percer le mystère.

21

Où le héros questionne sa grand-mère

« Ça fait longtemps que tu ne me donnes pas de nouvelles, Charlot, qu'est-ce que tu deviens ? » s'exclama la vieille et encore fort belle Éléonore, en accueillant un Charles dubitatif.

Elle avait renoncé depuis longtemps à la coquetterie de se teindre les cheveux, qu'elle avait tout blancs et fort abondants, mais pas à celle de se maquiller, de se parfumer et de se vêtir élégamment. Octogénaire, elle conservait un charme, une séduction qui, sans faire de ravages (quand même !) plaisait encore, et parfois à des jeunots de soixante-dix ans !

Si sa mémoire avait pu conserver cette fraîcheur !

C'est ce que déplorait vaguement Charles qui se voyait vertement reprocher de ne pas souvent donner de ses nouvelles à l'aïeule vénérable. Mais au moins, elle l'avait reconnu, au moins elle l'appelait par son prénom !

Les formalités de la politesse expédiées, Charles informa sa grand-mère des raisons de sa visite.

« Mon père m'a dit que je devais te voir, grand-maman, qu'il avait laissé un message que tu dois me transmettre…

— Non, dit-elle en fronçant les sourcils…

— Tu es sûre, parce que lui, il avait l'air vraiment sûr, et comme il a toujours eu une mémoire phénoménale…

— Mémoire phénoménale ? Il ne se souvenait jamais de venir me voir… »

Bon point sans doute, mais… pas très utile !

« Il était très occupé… le défendit Charles

— Ils disent tous ça, les enfants… »

Bon, Alzheimer ou pas, elle était lucide, la belle octogénaire !

« Mais la dernière fois qu'il est venu te voir, il ne t'a pas parlé de moi ?

— La dernière fois ? Ça doit faire au moins trois ans, si ce n'est pas plus. Je ne peux pas avoir une mémoire d'éléphant pour me souvenir de tout ce qu'il m'a dit il y a trois siècles, même si ce n'est pas le genre à parler pour rien dire. Puis regarde, là, il m'a appelée ce matin pour me dire qu'il voulait me voir, que c'était urgent et tout et tout, et il n'est pas là, il a dû avoir un coup de fil plus important que moi. »

Elle se tut, et Charles bien entendu n'osa la contredire, encore moins la reprendre. Tout le monde déteste ça, et les vieux encore plus que les jeunes parce que ça leur rappelle justement qu'ils sont vieux, et comme c'est ce qu'ils détestent le plus au monde, Alzheimer ou pas…

Et Charles se faisait ces déprimantes réflexions, se disait, visiblement contrarié, je perds mon temps, jamais elle ne se souviendra de la conversation qu'elle a eue avec papa !

Alors, contre toute attente, Éléonore fondit en larmes.

Ému, Charles ne comprit pas, la laissa pleurer, dépourvu.

Les hommes sont toujours inconfortables devant les larmes d'une femme : l'émotion, ce n'est pas leur rayon.

Mais enfin une explication étonnante surgissait, de la bouche de la vieille :

« Je suis stupide, je suis stupide ! » répéta-t-elle.

Elle le disait avec beaucoup de conviction, presque avec violence, et c'était une terrible condamnation, terrible, je vous l'assure.

« Je ne me rappelais même plus qu'il est mort, hier ou avant-hier, ça ne change plus rien maintenant, il est trop tard, mon pauvre petit Pierrot, il m'aimait tant. Et ça me fait tellement de peine, tellement de peine, si tu savais, Charles, parce que... parce que je l'ai toujours mal aimé, j'ai toujours été injuste avec lui, j'étais folle, j'étais folle, toute ma vie, j'aimais plus son frère, parce qu'il était beau, mais c'est un idiot, un raté et un ingrat qui ne s'est jamais occupé de moi, tandis que ton père, il a tout fait, il a tout fait pour moi, et en plus il ne me devait rien, il ne me devait rien, et il m'a tout donné ! Et maintenant, il est trop tard, il est mort et enterré, et je ne reverrai jamais plus son beau visage ! Il ne pourra jamais me pardonner tout le mal que je lui ai fait ? Pourquoi j'ai fait ça, pourquoi, dis-le-moi, toi, tu es jeune, tu es beau, tu es intelligent, tu es son fils, tu le sais, pourquoi ?

– Ne dis pas ça, grand-maman, il... papa t'aimait beaucoup, il m'a souvent parlé de toi et toujours en bien... »

Elle cessa de pleurer, son visage s'éclaira, et comme une petite fille de dix ans à qui on dit pour la première fois qu'elle est jolie, elle fit :

« C'est vrai ?

– Mais bien sûr que c'est vrai... »

Mais ça ne réglait pas son problème !

Puis nouveau changement d'humeur de la grand-mère.

« Je m'excuse si je ne peux pas t'aider mieux, mon pauvre Charles, c'est pas de ma faute, je suis vieille, je suis vieille et je suis fatiguée, j'ai mal aux jambes, j'ai des points au cœur, et je ne suis plus l'ombre de l'ombre de moi-même. Si tu savais comme ça fait drôle, comment tu restes surpris, oui, c'est le mot, surpris, quand un matin tu te réveilles et que tu te rends compte que tu es vraiment vieux, comme ça, quand tu te souviens de ce que tu as déjà été, de ce que tu as déjà été capable de faire, de la bicyclette, de la marche, boire, rire, voyager, faire l'amour, tout ça c'est fini, juste des souvenirs. Des fois je me fais pitié avec mon frigidaire plein de médicaments que je sais même plus à quoi ils servent, oui, des fois, je suis tannée d'entendre les gens me dire de me ménager, de faire attention à ma santé... Ma santé! Je ne l'ai plus depuis dix ans, depuis que mon vieux est mort, on dirait qu'il a fait exprès de partir avec, pour que j'aille le rejoindre plus vite. Mais ça ne marche pas, le bon Dieu m'a oubliée.

— Mais grand-maman, ne dis pas ça, protesta avec véhémence Charles, on t'aime... on a besoin de toi!»

Éléonore laissait éclater son scepticisme :

«Comme si on avait besoin d'une vieille qui perd tranquillement la boussole! Des fois je sais même plus si j'attends quelqu'un ou s'il est déjà reparti. Avant, je pouvais jouer du Bach sans partition, maintenant, il y a des jours où je peux même plus jouer *Au clair de la lune* sans me tromper dix fois! Vous ne pouvez pas comprendre ça, vous, les jeunes, vous pensez que vieillir c'est se bercer gentiment en tenant la main d'un autre vieux...»

Charles ne savait pas quoi dire, mais ce que venait de dire sa grand-mère lui avait donné une idée.

«Grand-maman, viens, j'ai une idée!»

Et il la prit par la main, et elle se laissa guider, visiblement naïve, visiblement ravie, comme la fillette qu'elle avait déjà été, comme la fillette qu'elle était encore, car il y a une partie de nous qui ne vieillit jamais, et c'est la plus belle, bien entendu.

Il l'entraîna vers le magnifique piano, et la pria :

« Joue L'*Hymne à la joie*.

— *L'Hymne à la joie* ? » commença-t-elle par demander comme si elle ne savait plus du tout de quoi il s'agissait.

Moue contrariée de Charles.

Puis volte-face de la grand-mère, qui s'assoyait tout excitée au piano :

« Mais oui, Beethoven, évidemment ! »

Et elle se mit à jouer un arrangement pour piano de *L'Ode à la joie* avec beaucoup d'enthousiasme et de brio.

Et au bout de dix mesures, comme illuminée, elle s'écriait :

« Oui, ça me revient tout à coup ! Ton père, il est venu me voir peu de temps après avoir fait sa crise cardiaque, et il avait une enveloppe pour toi !

— Une enveloppe ?

— Oui, une enveloppe avec un manuscrit dedans, je l'ai vu...

— Où est-il ?

— Où est-il ? Mais pourquoi tu me demandes ça ? »

Ici, grand effort de tolérance de Charles, qui... enfin, vous comprenez !

« Tu te souviens pas où tu l'as mis ?

— Euh... »

Et nouvelle illumination d'Éléonore :

« Je suis assise dessus !

— Assise dessus ? »

Elle se leva d'un bond, souleva le couvercle du banc sur lequel elle était assise, trouva sans peine l'enveloppe qu'elle brandit fièrement sous le nez de Charles.

«Tu es géniale !

– Je sais», dit-elle.

Et Charles ouvrit avec précipitation l'enveloppe et y découvrit effectivement un document, une sorte de parchemin mais pas ancien du tout. Il reconnut sans peine l'écriture si belle de son père, et sa touche dans les dessins qu'il avait assurément faits lui-même, car il était doué pour le dessin sans avoir jamais fait aucun effort ou suivi aucun cours. Comme disait Molière : «Les gens d'esprit savent tout sans avoir jamais rien appris.»

Les dessins étaient faits dans un style naïf, à l'encre rouge et noire.

Charles s'attarda d'abord à sept personnages, coiffés d'un curieux bonnet rouge, avec des cheveux qui rappelaient ceux des pages du Moyen Âge, qui jouaient de la trompette en direction d'une haute muraille de pierres...

En les voyant, Charles frissonna, car il venait de penser au passage souligné par son père dans *Fragments d'un enseignement inconnu*, au sujet de la musique objective : l'auteur y prétendait que la chute de la muraille de Jéricho, causée par des trompettes antiques, en était un exemple parfait.

Mais Charles ne s'attarda pas à cette scène, car il y avait tant d'autres choses dans ce curieux parchemin.

Il y avait dans le coin gauche un soleil, avec de nombreux rayons...

Il y avait une fontaine, une fontaine avec en son centre une tige surmontée d'un disque.

Il y avait surtout, autour de la fontaine, différents personnages, se livrant à une activité assez singulière.

Des hommes, des femmes, formaient une ligne devant un homme qui portait des vêtements de prêtre, une haute tiare dorée.

Muni d'un marteau, il frappait sur la tête d'un homme, le premier de la file, agenouillé devant lui...

Et derrière lui, un enfant, la mine réjouie, portait dans ses mains ce que Charles crut d'abord être une sorte de soucoupe. Mai il réalisa que l'enfant portait un bout de son crâne, car sur sa tête, il n'y avait plus rien à la place de la fontanelle, cet endroit mystique de l'anatomie occulte où les religieux reçoivent la tonsure, signe de leur ouverture à la lumière du ciel, et qui durcit et se referme, dit-on, venu l'âge de raison.

Charles à nouveau frissonna, car il se souvint alors, ému, de ce que, la veille, le mendiant avait fait à son père, en mettant son poing sur son crâne pour ensuite taper dessus. Ce n'était pas un marteau, comme sur le dessin mais tout comme !

Tout cela est bien bizarre, incompréhensible et, somme toute inutile, s'avisa Charles. Pourquoi son père avait-il tracé ces dessins si énigmatiques ?

Il y avait une phrase également, mais elle aussi pas évidente, mystérieuse :

«Va dans le jardin de ton enfance, approche de la fontaine, vois les mille cils de l'œil du jour devenir un, et alors suis ce chemin de lumière à 10.23, vers 1.4. Vivaldi, le 22.5 découvre ton frère, ta sœur et toi, vos talents enfouis à vos pieds, et alors, si Dieu le veut, si tu oublies tout, tu retrouveras la source de ta joie, ton génie endormi, ta Grandeur... »

Il avait écrit grandeur avec un G majuscule...

Perplexe, – on l'aurait été à moins ! – Charles relut le message, déterminé à en percer le mystère.

De quoi pouvait-il bien s'agir ?

Pourquoi son père avait-il usé d'un style aussi hermétique?

Pourquoi?

Peut-être parce que, pensa Charles en le déplorant à demi, rien aux yeux maintenant fermés à jamais de son père n'avait de la valeur qui n'avait été acquis par un peu de génie... et beaucoup de sueur!

Mécaniquement, il regarda l'heure sur la belle vieille horloge de la maison: il était 10.13...

Il frissonna à nouveau car, en une intuition irrésistible, il eut alors le sentiment, que dis-je, la certitude que tout se passerait ce jour-là dans dix minutes...

Et s'il avait raison, il ne lui restait que dix minutes, dix petites minutes pour trouver la clé de l'énigme...

Dix minutes qui décideraient de sa vie...

22

Où le héros retrouve l'état de son enfance

Plus tôt le matin, il avait questionné Clara avec succès.

Pourquoi ne pas interroger la vieille Éléonore au sujet de cette phrase sibylline ?

Dès qu'elle la lut, son attention – de musicienne, même vieillissante – fut retenue par ceci : 1.4 Vivaldi.

« Ben, ça doit être *Les Quatre Saisons* de Vivaldi.

Puis 1, ben c'est la première, le printemps.

– Tu es géniale, grand-maman ! »

Ça lui confirmait que ça se passerait aujourd'hui, dans dix minutes…

Plus que neuf à la vérité !

Et les chiffres 22.5 qui suivaient Vivaldi c'était le 22 du mois de mai. C'était aujourd'hui !

Mais il n'était guère plus avancé, au fond !

La vieille Éléonore, se désolant du découragement visible de son petit-fils, jeta un autre coup d'œil au manuscrit, et au bout de quelques secondes, elle esquissa un sourire, décréta :

« Tu ne trouveras pas ce que tu cherches ici !

– Mais pourquoi ? s'affola-t-il.

— Ben parce que c'est écrit : "Va dans le jardin de ton enfance, approche de la fontaine…" Et le jardin et la fontaine, ils sont là…»

Et, de sa belle main souvent agitée de quelque tremblement, elle montrait, à travers la grande fenêtre du living, le jardin, l'abreuvoir pour oiseaux qui tenait lieu de fontaine…

Charles se frappa le front, comme il l'avait fait plus tôt avec Clara. Pourquoi n'avait-il pas pris ce message au pied de la lettre ?

Pourquoi avait-il vu un symbole où il n'y en avait pas ? Il conclut hâtivement, et sans doute justement, que ça devait être par déformation professionnelle de philosophe !

Il baisa le beau front de sa grand-mère, la remercia :

«Tu es vraiment géniale !

— Merci, tu veux que je te prépare un thé avec des madeleines, comme tu aimes ?

— Euh, non je te remercie, grand-maman, pas tout de suite…»

Il jeta un coup d'œil furtif vers l'horloge…

Plus que huit maintenant…

Parchemin en main, il se précipita vers le jardin, sous le regard tendrement amusé de sa grand-mère qui ne comprenait pas trop à quel terrible enjeu Charles faisait face et concluait tout simplement : «Ah ! ces jeunes, ça court tout le temps !»

Dans le jardin, près de l'abreuvoir, Charles remarqua tout de suite ce qu'il avait noté lors de sa précédente visite avec son père. Il y avait quelque chose de changé…

Mais quoi ?

Quoi ?

Il fallait qu'il trouve, qu'il trouve rapidement…

Dans un état de nervosité croissante, il jetait des regards circulaires, de plus en plus affolés.

Il eut alors une intuition : ce qu'il y avait de changé, c'était... qu'il manquait quelque chose !

Oui, il manquait quelque chose, et Charles avait le sentiment de savoir où : c'était devant les bosquets qui poussaient à quelques mètres de l'abreuvoir, et qui, à ce temps-ci de l'année, présentait seulement de petites feuilles d'un vert encore fort tendre.

Oui, anciennement, il y avait quelque chose devant ces bosquets, quelque chose qui n'était plus là, qui avait disparu, va savoir pourquoi.

Alors, comme il était arrivé quelques fois à son père pendant les trois jours, avec sa mémoire magnifiquement exaltée par la mort, ou ce qu'on appelle la mort, lui vinrent à l'esprit des bribes de ce célèbre passage du début de *Du côté de chez Swann,* de Proust. « Mais à l'instant même où la gorgée mêlée des miettes du gâteau toucha mon palais, je tressaillis... Un plaisir délicieux m'avait envahi... Il m'avait aussitôt rendu les vicissitudes de la vie indifférentes, ses désastres inoffensifs, sa brièveté illusoire... J'avais cessé de me sentir médiocre, contingent, mortel. »

Charles, comme Marcel, tressaillit. Car il pensa que sa grand-mère venait précisément de lui offrir du thé et des madeleines, qu'il aurait pu prendre comme dans l'épisode fameux de Proust, et que la vie une fois de plus lui avait mis sous le nez, devant les yeux, tous les signes, tous les petits cailloux blancs du Petit Poucet, et qu'il avait seulement à les voir, à les suivre...

Et il pensa aussi que cet exaltant sentiment de ne plus se sentir médiocre, contingent, mortel, c'était précisément mais dit en d'autres mots, ce que son père avait tenté de toutes les manières, avec toute sa folle énergie, de lui enseigner, en lui parlant de sa grandeur oubliée, de sa grandeur qu'il devait retrouver, dans la forêt mystérieuse de son enfance...

Dans la forêt mystérieuse de son enfance...

Charles regarda les bosquets : c'était là, oui, là, mais quoi, quoi, quoi ? Ça le rendait fou à la fin, son impuissance à percer ce mystère !

Il regarda à nouveau le parchemin, les mystérieux joueurs de trompette, cette file de gens s'approchant de ce mage à la haute tiare qui semblait les initier à quelque mystère en leur frappant sur la tête de son marteau féérique, cet enfant qui, derrière lui, s'éloignait, ravi, avec dans ses mains la calotte de son crâne d'adulte converti à l'enfance. Oui, Charles le comprenait maintenant, cet enfant, une seconde avant, avant de recevoir le coup de marteau céleste, était encore un déplorable adulte, comme nous tous, un déplorable adulte, mais au moins dans la file, dans la bonne direction, au seuil de la seule véritable aventure, et sa quête avait trouvé son aboutissement, sa vie un sens : sa métamorphose avait eu lieu...

Charles relut la longue phrase, s'attarda à ce passage : «Approche de la fontaine, vois les mille cils de l'oeil du jour devenir un, et alors suis ce chemin de lumière à 10.23.»

La fontaine...

Ce n'était pas une fontaine mais un vaste abreuvoir à oiseaux, donc pareil, il se trouvait au bon endroit assurément...

Les mille cils de l'œil du jour devenir un...

L'œil du jour...

Mais oui, évidemment, pourquoi n'y avait-il pas pensé avant ? L'œil du jour chez les Égyptiens, c'était le soleil bien entendu, et ses mille cils, c'était ses rayons, ce qu'il était con !

Le soleil... à 10.23...

Quelle heure était-il ?

Dix heures vingt...

Plus que trois minutes !

Il était perdu, perdu, trois fois perdu, au lieu d'Hermès Trismégiste, trois fois petit : à jamais il resterait médiocre, contingent, mortel... s'il ne trouvait pas !

Le soleil...

Il se tourna en direction du lac, d'où provenait le soleil...

Entre deux grands chênes qui poussaient sur la rive et dont les troncs avaient été hautement élagués pour ne pas gêner la vue des vacanciers, l'œil du jour apparaissait...

Dans son affolement, Charles chaussa le casque de son *iPod*, mit *L'Hymne à la joie*, très fort, suivant le fol exemple paternel, au risque de se percer les tympans.

Et il se mit à tourner comme un fou, à tourner comme un fou autour de l'abreuvoir à oiseaux, et il parlait tout haut, comme un fou, il parlait tout haut, il implorait :

« Allez, Beethoven, aide-moi, je t'en supplie ! Tu le sais, toi ce que je dois savoir, ce que je dois découvrir parce que tu l'as mis dans ta musique, mon père me l'a dit et c'est écrit dans le livre que tu sais, celui d'Ouspensky, c'est écrit et mon père l'a souligné en rouge ! Allez, parle-moi, dis-le-moi, je sais que tu le sais, tu le sais parce que tu es grand, toi, tu es le grand Beethoven, et moi je ne suis rien, rien, rien qu'un petit professeur d'université malheureux, qui n'a jamais rien fait de sa vie, mais toi tu es un génie, un génie ! Et un génie c'est né pour aider ceux qui ne le sont pas, alors aide-moi, tu DOIS m'aider, je t'en supplie, je t'en supplie, il ne me reste plus beaucoup de temps ensuite je serai perdu, aide-moi pour l'amour de Dieu ! »

Et alors, Dieu sait comment, Dieu sait pourquoi, peut-être parce que, comme avait dit Léonard dans sa rencontre avec son père, on ne peut penser à un être sans l'attirer fatalement dans son orbite, peut-être parce que, comme il est dit dans les cercles bien informés, quand on fait un pas en direction du maître il en fait mille en la nôtre, le maestro Beethoven entendit le *miserere* de Charles et fit vibrer quelque octave intérieure en son adulte mémoire.

Car alors un souvenir d'enfance surgit en sa cervelle.

Tout à coup il se revit, à sept ans, dans ce même jardin de campagne à côté de ce même abreuvoir, jouant avec son frère, son frère qui n'était pas encore un ennemi, parce qu'il n'était pas encore un adulte, mais juste son frère, juste son meilleur ami.

Oui, il jouait, heureux, le front lisse et libre de tout souci, il jouait parce que c'est la chose la plus sérieuse du monde pour un enfant... Après, on oublie, pour dédier sa vie à des choses importantes !

Il jouait avec son frère à ce jeu auquel sans doute vous avez déjà joué : grâce à la loupe qui couronnait l'abreuvoir à oiseaux, il faisait des trous, des dessins dans de vieux journaux, les allumait et *tutti quanti*.

Alors, il comprit ce que son père avait voulu dire lorsqu'il avait écrit : les mille cils de l'œil du jour devenir un...

C'était exactement ce que faisait une loupe : concentrer les rayons du soleil en un !

Et la loupe était devant ses yeux, mais il ne l'avait pas reconnue parce que son verre immense était tout sale, plein de boue et de poussière...

Du côté du lac, le soleil s'était maintenant avancé entre les deux chênes et ses rayons majestueux frappaient justement la loupe.

La nettoyer !

Il fallait la nettoyer tout de suite, parce que, là, forcément, il ne restait plus de temps, c'était évident, ce qui devait se passer était en train de se passer, ensuite il serait trop tard, trop tard, la chance aurait passé son chemin comme elle passe le nôtre quand on pense trop, au lieu de foncer, parole de Pierre Rainier.

Charles prit de l'eau dans l'abreuvoir, se mit, comme un fou, à nettoyer la grande loupe avec ses mains. Dans son *iPod*, c'était le chœur dans *L'Hymne à la joie* et c'était mystérieux et grave et grandiose et beau, insupportablement beau, et à côté de ça, ta vie, même si tu fais l'important, si tu es lucide et franc, ça te semble tout à coup peu de choses, toutes tes petites tractations financières, toutes les grosses médailles après lesquelles tu cours, toutes les petites gymnastiques que tu appelles amour, oui, en comparaison te semblent peu de choses, et sans valeur aucune, comme sur un chèque, une longue série de zéros mais sans le 1 capital devant, alors pas la peine de t'y accrocher...

Comme ça ne se faisait pas assez vite, Charles arracha sa chemise et s'en servit comme d'un torchon de fortune, et malgré son inélégance, jamais il n'avait été aussi beau en sa folle intensité, car c'est la véritable ouvrière de beauté.

Bientôt le verre de la loupe fut clair, parfait dans sa transparence originelle, et Charles s'en écarta car il cachait les mille cils de l'œil du jour.

Ils frappèrent la loupe, et un rayon jaillit, qui se dirigea vers le bosquet qui l'avait tant intrigué, et Charles, qui maintenant pensait vite, se rappela la consigne du parchemin : « alors suis ce chemin de lumière à 10.23 »

Il était 10.23...

Et le chemin de lumière était là, magnifique, vibrant, tel qu'annoncé dans le message de son père.

Charles s'approcha du bosquet, illuminé comme le buisson ardent de la Bible, en écarta à toute vitesse les branches, et alors il comprit.

Il comprit que ce qui manquait dans le jardin, c'était ce qui se cachait dans les bosquets, parce que, ayant été mal entretenus, en fait complètement négligés, laissés à eux-mêmes, ils avaient proliféré, et ils cachaient à la vue du promeneur distrait... trois petites statues !

Dans son impatience, non content d'écarter les branches du bosquet, Charles se mit à arracher les arbustes.

Et alors lui apparurent, dans toute leur belle simplicité, les trois adorables statuettes que Pierre Rainier, dans sa fierté incommensurable de père, avait fait ériger en l'honneur de ses trois enfants. À gauche, il y avait celle de son frère, au centre celle dédiée à sa sœur et à droite la sienne.

Comment avait-il pu les oublier ?

Le rayon de la loupe frappait la terre au pied de la statuette de sa sœur.

« ... découvre ton frère, ta sœur et toi, vos talents enfouis à vos pieds... »

Charles se mit à creuser, au risque de s'arracher les ongles, au pied de la statue de son frère, et comme la terre était déjà molle en ce frais mois de mai, et que ce qu'il cherchait avait été enterré peu profondément, il le trouva rapidement : un tout petit coffret de métal qu'il ouvrit aussitôt. Il contenait une pièce d'or ancienne.

Il creusa au pied de la statue de sa sœur, trouva un coffret similaire : celui-là contenait deux pièces d'or.

Enfin le sien : il compta les pièces, il y en avait neuf !

Il crut d'abord, sans trop savoir pourquoi, qu'il s'était trompé, qu'il y en avait dix, un chiffre rond, et s'empressa de les recompter, mais non, il y en avait neuf en effet...

Mais peu importait, au fond. Ce qui comptait, c'est que son père ne lui avait pas menti : il était celui de ses trois enfants qui avait le plus de talent !

Alors, en ce jardin, agenouillé devant les trois petites statues, le torse nu, les mains noires de terre, Charles eut une véritable illumination comme un disciple japonais qui comprend enfin, en un éclair de pensée vraie, le koan que lui a patiemment, que lui a amoureusement soumis son maître.

Oui, tout à coup, il était si frappé par le prodigieux mystère de tout ce qu'il venait de vivre, si dépassé par la bizarrerie de toute cette aventure, si confondu en réalisant comment le temps était une chose complètement différente de ce qu'il avait toujours pensé en sa trompeuse rationalité de philosophe, si bouleversé par la profondeur de son père, par sa faculté de deviner l'avenir, par le risque magnifique qu'il avait pris avec lui, et qui, il le comprenait maintenant, était juste de l'amour, un incommensurable amour, et que c'était la première et la dernière grandeur de son père, si transporté aussi par la fin de *L'Hymne à la joie*, que les larmes lui montèrent aux yeux.

Et alors, il sentit, de la base de sa colonne vertébrale, monter une boule de feu qui emplit tout à coup tout son cerveau d'une lumière orange. Il tomba aussitôt à la renverse, laissant échapper sur la terre près de lui les neuf pièces d'or qu'il tenait.

Le cœur léger, empli d'une joie indescriptible, le front tout à coup lisse et libre de tout souci, il se mit à regarder le ciel, le ciel infini, et les nuages, les nuages si mystérieux au mouvement si beau : ses yeux étaient d'une clarté nouvelle et merveilleuse.

Il était beau.

Il était redevenu un enfant.

23

Où le destin du héros s'accomplit

Le lendemain, à la première heure, Charles, radieux, sûr de son avenir comme de la lumière du jour, se rendit avec Clara à l'hôpital Saint-Justine.

Quand il remit le chèque de cinquante millions à la réceptionniste, elle sourcilla, pas seulement en raison du montant considérable, mais parce que le chèque n'était pas libellé au nom de l'hôpital. Charles lui montra l'endos du chèque, où apparaissaient les mots : « en la faveur de l'hôpital Sainte-Justine » suivis de sa signature, dépourvue de tout doute, de toute inquiétude, comme l'avait toujours souhaité son père.

« Oh, je vois, dit-elle, mais pour un pareil montant je pense que c'est mieux que vous voyiez le directeur. »

Ce dernier haussa lui aussi un sourcil étonné lorsqu'il vit le chèque de cinquante millions. Et tout de suite, ému, infiniment reconnaissant, il commenta :

« Votre père serait fier de vous s'il était là… »

Il n'aurait su mieux dire !

Charles se tourna vers Clara et échangea avec elle un sourire entendu.

«Venez, dit le directeur, je vais vous montrer un peu ceux à qui vous faites tout ce bien…»

Et il emmena Clara et Charles vers la grande salle de jeux des enfants. Et là il se passa quelque chose d'un peu mystérieux. Car avant que le directeur ait le temps de présenter Charles aux enfants, de leur dire à quel point il s'était montré généreux avec eux, ils abandonnèrent presque tous leurs jeux, et s'approchèrent de lui, les uns en fauteuil roulant, les autres avec leurs béquilles, les autres sans aide aucune, oui, ils s'approchèrent de lui comme s'il était un nouveau, comme s'il était un des leurs !

Le directeur était consterné.

Jamais au cours de sa longue carrière il n'avait assisté à semblable spectacle, car Charles avait beau s'être montré extraordinairement généreux, après tout, il n'était pas un joueur de hockey du Canadien ou Céline Dion !

Clara aussi était étonnée, qui regardait Charles et retenait ses larmes, tout comme lui, pour ne pas gâcher la belle joie des enfants.

«Ton père avait raison, laissa-t-elle tomber.

– Il avait toujours raison», fit Charles.

Et alors, en regardant dans un des coins de la grande salle, il remarqua trois enfants qui jouaient aux cartes, à l'argent d'ailleurs et c'est sans doute pour cette raison qu'ils ne s'étaient pas approchés de lui, comme leurs petits camarades.

Et parmi ces trois enfants, il lui sembla reconnaître… son père !

Oui, son père, âgé de sept ans, beau comme un cœur et qui jouait passionnément aux cartes avec ses petits amis !

Était-il revenu, contre toute attente ?

Charles évidemment voulut en avoir le cœur net, il voulut aller retrouver son père, lui parler, le serrer dans ses bras, mais à ce moment le directeur lui posa quelques questions.

Lorsqu'il put reporter son attention vers la petite table, il n'y avait plus que deux enfants qui y jouaient aux cartes. Il s'excusa auprès du directeur, de Clara, marcha d'un pas, vint vers la table, s'enquit :

«Votre petit ami est parti ?

— Quel petit ami ? demanda un garçon de sept ou huit ans, qui n'avait plus un cheveu, plus de sourcils et souffrait visiblement de cancer.

— Mais vous n'étiez pas trois ?

— Non, juste deux, fit l'autre enfant, à peu près du même âge, et qui se remettait d'une importante opération.

— Ah bon... fit Charles.

— Vous avez l'air triste, dit le petit cancéreux.

— Non, je...»

Le garçon regarda les quelques pièces de monnaie sur la table à côté de lui, hésita un instant, puis prit un dollar et le tendit à Charles :

«Tenez, dit-il, je vous donne ça, ça vous portera chance...

— Oh ! merci, ça me touche énormément...»

Et à ce moment Charles éprouva une grande émotion, non seulement parce que le gamin s'était montré généreux avec lui, mais parce qu'il venait de penser aux neuf pièces d'or dans le coffret, les neuf pièces d'or, au sujet desquelles il s'était demandé comment il se faisait qu'il n'y en avait pas dix.

Maintenant, il y en avait dix !

C'était son père, il en était sûr, qui, mystérieusement lui faisait ce clin d'œil, ce cadeau, peut-être pour le remercier de sa générosité et de l'amour filial qu'il lui avait manifesté, en suivant son conseil de donner le chèque de cinquante millions.

C'était son père qui, par cette pièce d'un dollar, voulait lui montrer qu'il était toujours là, qu'il serait toujours là dans sa vie, aussi près de lui que les battements de son propre cœur !

Le mois suivant, Charles tint sa promesse à Clara de se marier. Ce fut un mariage fort simple, avec une petite cérémonie, mais de grands sentiments.

Un bonheur n'arrive jamais seul.

Clara tomba bientôt enceinte.

Peu de temps après l'enterrement, Charles avait reçu du notaire, le complet, les souliers et la magnifique montre que son père lui avait laissés en héritage et que, dans sa colère, il avait refusé d'emporter avec lui.

En ouvrant le paquet il se rappela son chagrin, mais aussi sa révolte, sa colère à la lecture du testament chez le notaire.

Comme tout cela était loin, maintenant, et tout à fait insignifiant ! Il dodelina de la tête, un sourire magnifiquement détaché sur les lèvres.

Le jour même, comme si c'était un signe, le signal de départ de sa nouvelle vie, de sa nouvelle carrière, il revêtit le costume, les souliers, noua la montre à son poignet gauche et se mit résolument au travail.

Il lui semblait qu'il ne pouvait écrire qu'une histoire : celle qu'il venait de vivre avec son père.

En un petit mois, le roman fut ficelé.

Il connut un succès immédiat, et Charles pensa : « *Cocteau avait raison : " Un livre a une histoire tout de suite ou n'en a pas."* »

À son étonnement ravi, il en vendit plus de trois millions d'exemplaires à travers le monde et un éditeur américain lui proposa un à-valoir de cinq millions pour ses trois prochains romans !

Après une hésitation de... cinq secondes, il accepta !

Lorsque, ayant paraphé cette entente inouïe, l'éditeur lui remit son chèque pharamineux, il pensa : C'est moins que les cinquante millions que j'ai donnés, mais :

1. je suis juste au début de ma carrière, ces cinquante millions, je les aurai un jour...

2. ça ne se compare pas comme sensation : cet argent, c'est moi qui l'ai gagné, en faisant de surcroît ce que j'aime !

Papa avait raison !

24

Où la mystérieuse prophétie du mendiant se réalise

*T*rois ans, jour pour jour, après que Niroda lui eut fait sa mystérieuse prophétie, Charles et Clara invitèrent des amis et des parents à une petite fête pour célébrer le deuxième anniversaire de naissance de leur fils, car c'est d'un beau garçon joufflu que la radieuse Clara avait accouché. Ils l'avaient baptisé sans surprise Pierre II.

Charles avait depuis longtemps oublié la prophétie de Niroda, comme on fait souvent avec de vieilles promesses, de vieux souhaits.

Mais lorsque vint le temps pour son fils, très solide sur ses jambes, de venir souffler les deux immenses chandelles de son gâteau tout blanc, les paroles de Niroda revinrent à Charles : la seconde faveur qu'il acceptait de lui accorder, les douze invités masculins qu'il aurait…

Charles, qui avait des frissons sur tout le corps, en fit le rapide décompte : ils étaient bien douze !

Sans trop leur fournir d'explications, il leur demanda de mettre leur montre sur la table, devant le gâteau.

Tous se plièrent à ce jeu mystérieux, sauf l'un d'eux qui dut s'excuser : il avait oublié de mettre la sienne !

Comme dans la prophétie !

Charles aligna prestement les montres, mit celle de son père au hasard, parmi elles.

Puis il dit à son fils qui, sans surprise, avait été baptisé Pierre II :

« Choisis celle que tu aimes le plus, Pierrot... »

Son fils sans comprendre pourquoi son père lui demandait ça, sourit, – il était peut-être tout simplement attiré par ces objets mystérieux et beaux que sont des montres de grandes personnes pour un enfant de deux ans...

L'enfant tendit une main ravie vers les montres, hésita, et enfin prit la montre juste à côté de celle de Charles. Ce dernier grimaça de déception, car il avait compris la raison du test que Niroda lui avait suggéré de faire passer à son enfant, et qui ressemble à celui auquel les moines tibétains soumettent l'enfant réputé être la réincarnation d'un dalaï-lama du passé.

Mais le petit Pierre II fronça alors les sourcils, et contre toute attente, remit la première montre pour prendre celle de Charles. Et il se tourna avec fierté vers son père, un grand sourire aux lèvres. Charles était ému aux larmes, tout comme Clara, qui avait tout compris, qui comprenait toujours tout.

Et s'approchant, tout bouleversé, de son fils qui lui remettait pour ainsi dire sa montre, Charles, tremblant, murmura :

« Papa ? »

Gables Court, 3 janvier – 3 février 2009, ouf !!! et... *vino bianco per favore !*

Contactez
Marc Fisher

Si vous avez des histoires à partager avec moi
et mes autres lecteurs,
n'hésitez pas à me les communiquer à :

fisher_globe@hotmail.com

Pour entrer en contact avec Marc Fisher,
auteur et conférencier : fisher_globe@hotmail.com

Du même auteur
chez le même éditeur

L'Ouverture du cœur : Les principes spirituels de l'amour incluant : Le nouvel amour courtois, éditions Un monde différent, Brossard, Canada, 2000, 192 pages.

Le Bonheur et autres mystères... suivi de *La naissance du Millionnaire,* éditions Un monde différent, Brossard, Canada, 2000, 192 pages.

La vie est un rêve, éditions Un monde différent, Brossard, Canada, 2001, 208 pages.

L'Ascension de l'âme : Mon expérience de l'éveil spirituel, éditions Un monde différent, Brossard, Canada, 2001, 192 pages.

Le Testament du Millionnaire, sur l'art de réussir et d'être heureux, éditions Un monde différent, Brossard, Canada, 2002, 144 pages.

Les Principes spirituels de la richesse, suivi de *Le levier d'or,* éditions Un monde différent, Brossard, Canada, 2005, 192 pages.

Le Millionnaire paresseux, suivi de *L'art d'être toujours en vacances,* éditions Un monde différent, Brossard, Canada, 2006, 240 pages.

Le Philosophe amoureux, L'amour, le mariage (et le sexe...) au 21e siècle, éditions Un monde différent, Brossard, Canada, 2007, 192 pages.

Le plus vieux secret du monde : Petit compagnon du Secret, éditions Un monde différent, Brossard, Canada, 2007, 176 pages.

Le Secret de la rose : le dernier message du Millionnaire, éditions Un monde différent, Brossard, Canada, 2008, 192 pages.

L'Apprenti-Millionnaire : le testament d'un homme riche à son fils manqué, éditions Un monde différent, Brossard, Canada, 2009, 192 pages.

Achevé d'imprimer au Canada en mars 2009
sur les presses de Quebecor World Saint-Romuald